中文

（修订版）

第五册 练习册Ⓑ

中国暨南大学华文学院　编

暨南大学出版社

中国·广州

图书在版编目（CIP）数据

中文·第五册练习册 （B）/ 中国暨南大学华文学院编 .—修订版.— 广州：暨南大学出版社，2007.7

ISBN 978 –7 –81029 –700– 4

Ⅰ. 中…

Ⅱ. 中…

Ⅲ. 对外汉语教学

Ⅳ. H195

监　　制：中华人民共和国国务院侨务办公室

（中国·北京）

监制人：刘泽彭

电话 / 传真：0086 –10 –68320122

编写：中国暨南大学华文学院

（中国·广州）

电话 / 传真：0086 –20 –87206866

出版 / 发行：暨南大学出版社

（中国·广州）

电话 / 传真：0086 –20 –85221583

印制：东港股份有限公司

1998 年 7 月第 1 版　2007 年 7 月第 2 版　2014 年 7 月第 20 次印刷

787mm × 1092mm　　1/16　　6.625 印张

目　录
Contents

shàng cān guǎn
2. 上餐馆
Lesson 2   Go to the Restaurant

xīng qī yī
星期一
Monday

xiě yi xiě
1. 写一写 (Learn to write.)

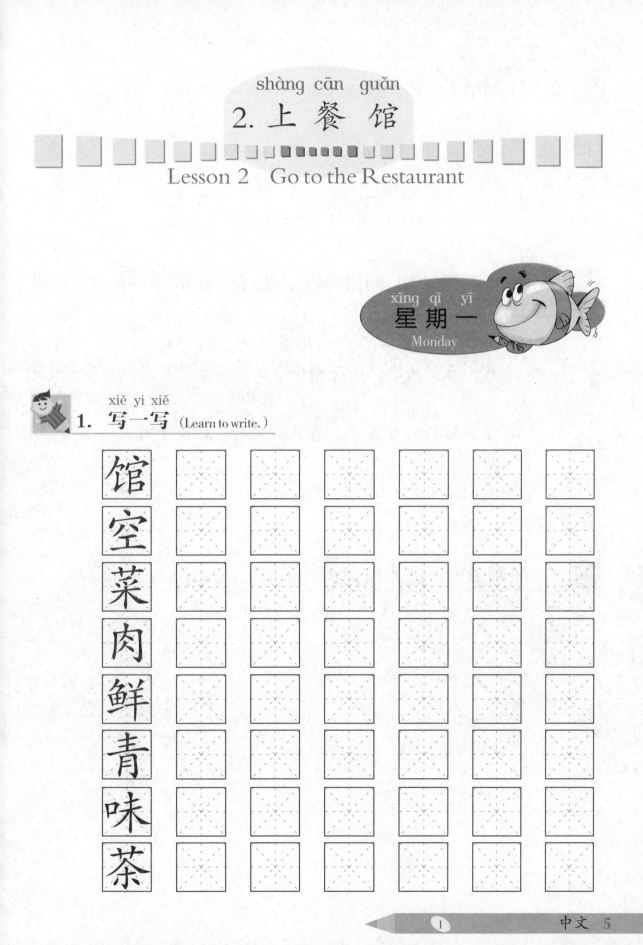

馆
空
菜
肉
鲜
青
味
茶

2. 选词语填空 <small>xuǎn cí yǔ tián kòng</small> (Choose the right words to fill in the blanks.)

茶　学校　钱　饭　同学　菜

吃＿＿＿＿　　离开＿＿＿＿　　花＿＿＿＿

点＿＿＿＿　　喝＿＿＿＿　　等＿＿＿＿

3. 画出下列句中的错别字，把正确的字写在（　）里 <small>huà chū xià liè jù zhōng de cuò bié zì　bǎ zhèng què de zì xiě zài　li</small>
(Find out and correct the wrong characters.)

(1) 餐馆里人很多，空位子很少。（　）（　）

(2) 我们点了鱼汤，还有鸡蛋炒饭，味道好及了。大家都吃的
很饱。（　）（　）（　）

(3) 中餐馆的采可多了，有鱼，有肉，还有个种海鲜。（　）
（　）

(4) 我们这顿饭才化了二十多美元。（　）

4. 照例子连一连，组词语 <small>zhào lì zi lián yi lián　zǔ cí yǔ</small> (Link and form phrases after the model.)

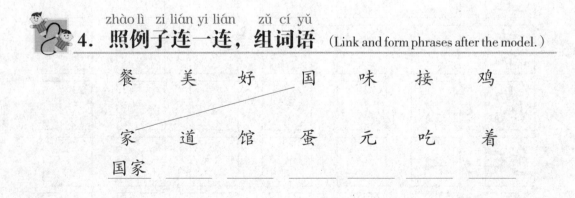

餐　美　好　国　味　接　鸡

家　道　馆　蛋　元　吃　着

国家　＿＿＿＿＿＿＿＿＿＿＿＿＿＿＿＿

5. 读课文，填空 (Fill in the blanks according to the text.)

爸爸开车_____我到了中餐馆，妈妈_____坐在里面_____了。

星期天，中餐馆里的人_____，_____很少。

中国菜_____美，_____香，又_____又_____。

我们坐下来，_____了茶，_____点了三菜一汤，还_____了鸡蛋_____。饭菜的味道_____，我们都吃得_____。这顿饭_____了二十多美元。

爸爸_____了钱，我们_____地离开了餐馆。

6. 照例子用"接着"改写句子 (Reconstruct the sentences with "接着" after the model.)

例：我吃了早饭就去上学了。

我吃了早饭接着就去上学了。

(1) 我中午十二点吃完饭就去睡觉了。

_____

(2) 妈妈买了菜回来就开始做饭了。

_____

(3) 我去了书店就去公园。

_____

(4) 我们要了茶，点了三菜一汤。

_____

7. 朗读课文 (Read the text aloud.)

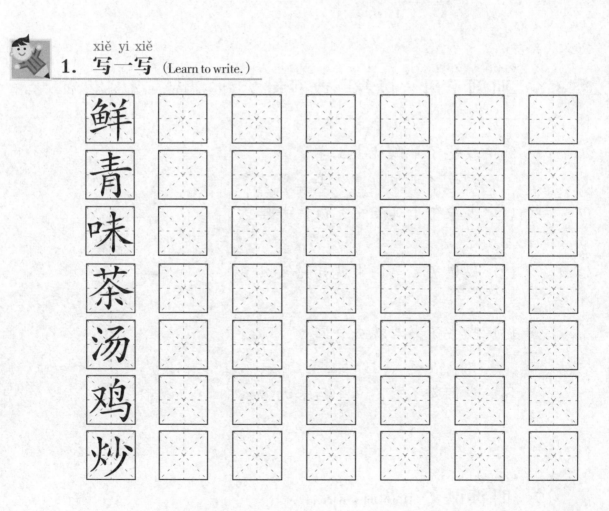

1. 写一写（Learn to write.）
xiě yi xiě

鲜
青
味
茶
汤
鸡
炒

dú yi dú
2. 读一读（Read aloud.）

饭菜的味道好极了。　　　方方跳得很高。

这里的风景美极了。　　　飞机飞得很低。

哥哥高兴极了。　　　　　汽车跑得很快。

　　　　huài
狼总爱吃小羊，坏极了。　乌龟爬得很慢。

bǎ xià liè cí yǔ fēn chéng sān lèi xiě xia lai
3. 把下列词语分成 三类写下来（Classify the words below into three groups according to the meaning.）

文具店　猫　肉　书店　青菜　小狗　鞋店　鸡　汤

(1) _____

(2) _____

(3) _____

zhào lì zi xiě chū xià liè zì de piān páng bù shǒu zài zǔ yí ge xīn zì
4. 照例子写出下列字的 偏 旁 部首，再组一个新字（Write the radicals of each character below and make different characters with the radicals after the model.）

　　　lì
例：冬→ 夂 → 各

茶→ ___ → ___　　　馆→ ___ → ___

汤→ ___ → ___　　　炒→ ___ → ___

味→ ___ → ___　　　极→ ___ → ___

5. 比一比，再组词语 (Compare and form phrases.)

{ 汤 ＿＿＿＿ { 鲜 ＿＿＿＿ { 空 ＿＿＿＿
{ 场 ＿＿＿＿ { 洋 ＿＿＿＿ { 穿 ＿＿＿＿

{ 顿 ＿＿＿＿ { 味 ＿＿＿＿
{ 颜 ＿＿＿＿ { 妹 ＿＿＿＿

dú kè wén pàn duàn jù zi duì de dǎ cuò de dǎ
6. 读课文，判断句子，对的打"√"，错的打"×"

(Judge the correctness of the sentences below with "√" on each right sentence and "×" on each wrong sentence according to the text .)

(1) 爸爸开车带我到西餐馆。 （   ）

(2) 奶奶已经坐在里面等我们。 （   ）

(3) 餐馆里的人很少，空位子很多。 （   ）

(4) 我们吃了中国菜。 （   ）

(5) 饭菜的味道好极了，但我们吃得不饱。 （   ）

(6) 这顿饭我们花了不少钱。 （   ）

zhào lì zi tián kòng
7. 照例子填空 (Fill in the form after the model.)

		好看，		好吃。
中国菜				
云云				
奶奶的眼睛	又		又	
这些苹果				
fán ěr 凡尔赛宫				
长江				

xīng qī sān
星期三
Wednesday

xiě yi xiě
1. 写一写 （Learn to write.）

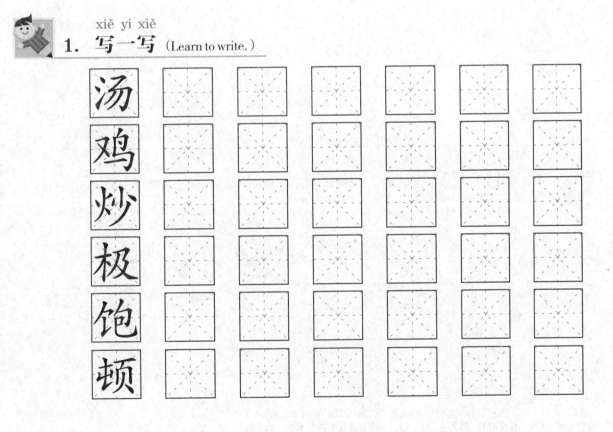

汤						
鸡						
炒						
极						
饱						
顿						

dú pīn yīn   xiě hàn zì
2. 读拼音，写汉字 （Write one character for each Pinyin.）

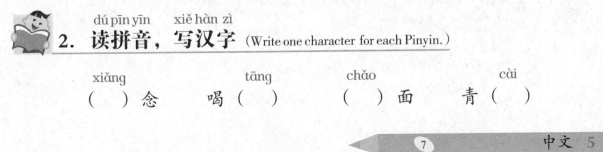

xiǎng   tāng   chǎo   cài
（　）念　　喝（　）　　（　）面　　青（　）

	xiāng		táng		cǎo		cái
( ) 味		吃 ( )		( ) 地		( ) 能	

3. 照例子写一写 (Write characters below in the stroke order after the model.)

例： ㇇ → ㇆ → 尸 → 尺

→ ___ → ⺧ → ___ → ___ → 青 → ___ → 青

→ 十 → ___ → ___ → ___ → ___ → 极

丨 → ___ → ___ → ___ → ___ → 肉

→ ___ → ___ → 氵 → ___ → 汤

→ 一 → ___ → ___ → 艾 → ___ → ___ → 茶 → 茶

丶 → ___ → ___ → 火 → ___ → ___ → ___ → 炒

4. 照例子写汉字，再组词语 (Write characters and form phrases after the model.)

例：午 + 讠 → 许   许多

官 + ___ → ___   ___   采 + ___ → ___   ___

未 + ___ → ___   ___   鸟 + ___ → ___   ___

包 + ___ → ___   ___   羊 + ___ → ___   ___

5. 照例子写出下列词语的反义词 (Write antonyms for the underlined words after the model.)

例：云云有一双大眼睛。   (小)

我吃饱了。   (   )

中文 5   8

这里有很多水果。　　（　　）

请你开一下灯。　　　（　　）

今天我很早起来。　　（　　）

汽车开得很快。　　　（　　）

教室里很安静。　　　（　　）

6. 连词成句 (Put the given words in the correct order to make sentences.)

(1) 才　这顿饭　了　二十　美元　花　多

_____

(2) 三十　才　多　这件衣服　花　美元　了

_____

(3) 故事　了　讲　这个　才　一点儿

_____

(4) 一会儿　了　来　方方　才

_____

(5) 一点儿　才　他　我　告诉

_____

yuè dú duǎn wén　xuǎn zé zhèng què de dá àn

7. 阅读短文，选择正确的答案 (Reading comprehension)

　　星期天，我们一家去公园玩儿，中午在一家餐馆吃饭。我碰见一个同学，他和他爷爷、奶奶、妈妈、哥哥、弟弟都来了，就他爸爸有事没来。我们一起吃自助餐，大家边吃边谈，十分开心。这顿饭每人才花了六块多钱。

　　(1) 同学家里来了几个人？（　　）

　　　A. 来了五个人

B. 来了七个人

C. 来了六个人

D. 来了八个人

(2) 这顿饭每人花了多少钱？ （　　）

A. 六块

B. 不到六块

C. 六块多

D. 七块

xīng qī sì

星期四

Thursday

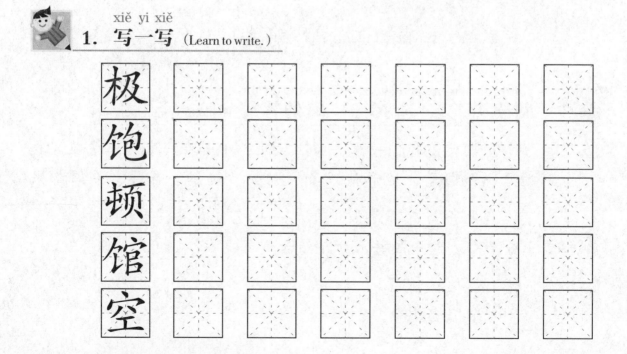

xiě yi xiě

1. 写一写 （Learn to write.）

极						
饱						
顿						
馆						
空						

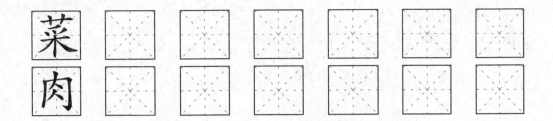

菜
肉

---

dú yi dú

2. 读一读 (Read aloud.)

中餐馆　西餐馆　饭馆　旅馆　大使馆

菜花　　　青菜　　　中国菜

青菜　　　青草　　　青山绿水　青年　青春

味道　　　香味　　　气味　甜味　美味

很饱　　　饱极了　　吃饱了

---

zhào lì zi xiě hàn zì   zài zǔ cí yǔ

3. 照例子写汉字，再组词语 (Combine these parts to make characters and form phrases after the model.)

lì

例：艹＋化→花　　花钱

穴＋工→＿＿＿　＿＿＿　　又＋鸟→＿＿＿　＿＿＿

火＋少→＿＿＿　＿＿＿　　扌＋及→＿＿＿　＿＿＿

辶＋米→＿＿＿　＿＿＿　　牛＋勿→＿＿＿　＿＿＿

---

dú yi dú   zài zǔ cí yǔ

4. 读一读，再组词语 (Read and form phrases.)

{ 馆 ＿＿＿＿　　{ 菜 ＿＿＿＿　　{ 鲜 ＿＿＿＿
{ 观 ＿＿＿＿　　{ 采 ＿＿＿＿　　{ 现 ＿＿＿＿

{ 青 ＿＿＿＿　　{ 味 ＿＿＿＿　　{ 饱 ＿＿＿＿
{ 亲 ＿＿＿＿　　{ 位 ＿＿＿＿　　{ 包 ＿＿＿＿

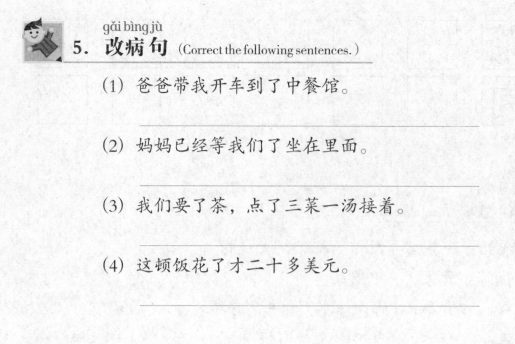

5. 改病句 *gǎi bìng jù* (Correct the following sentences.)

(1) 爸爸带我开车到了中餐馆。

_____

(2) 妈妈已经等我们了坐在里面。

_____

(3) 我们要了茶，点了三菜一汤接着。

_____

(4) 这顿饭花了才二十多美元。

_____

6. 连词成句 *lián cí chéng jù* (Put the given words in the correct order to make sentences.)

(1) 饱　得　我们　都　吃　很

_____

(2) 他们　开心　得　很　玩　都

_____

(3) 学　很　学生们　都　认真　得

_____

(4) 唱　好　小孩子们　得　都　很

_____

(5) 大家　漂亮　都　得　画　很

_____

huí dá wèn tí

7. 回答问题 (Answer the following questions.)

(1) 你常常和谁去中餐馆吃饭？

_____

(2) 中餐馆有什么菜？

_____

(3) 你去中餐馆常常吃什么菜？

_____

(4) 你觉得中国菜怎么样？

_____

xīng qī wǔ
星 期 五
Friday

bǎ xià mian de zì xiě wán zhěng

1. 把下面的字写完整 (Complete the following characters.)

2. xiě chū dài yǒu xià liè piān páng bù shǒu de zì
写出带有下列偏旁部首的字 （Write characters with the given radicals below.）

又：_____ _____

门：_____ _____

饣：_____ _____

火：_____

3. xuǎn cí yǔ tián kòng
选词语填空 （Choose the right words to fill in the blanks.）

（1） 汤 茶 菜 饱 包

我今天去中餐馆吃饭，吃得很____。

妈妈今天做了很多中国____。

亮亮说他最喜欢喝蛋花____。

昨天我去文具店买了一个书____。

叔叔，请喝____。

（2） 顿 个 双 块 条 道

一____鞋　　　三____鱼

四____鸡蛋　　三____饭

二十____钱　　一____菜

4. zǔ cí yǔ
组词语 （Form phrases.）

汤｛_____　鸡｛_____　鲜｛_____

炒｛_____　馆｛_____　味｛_____

中文 5　　14

lián cí chéng jù

5. 连词成句 (Put the given words in the correct order to make sentences.)

(1) 要　我们　茶　点　鸡蛋炒饭　了　接着　还

＿＿＿＿＿＿＿＿＿＿＿＿＿＿＿＿＿＿＿＿

(2) 街道　长　宽　这条　又　又

＿＿＿＿＿＿＿＿＿＿＿＿＿＿＿＿＿＿＿＿

(3) 说　老师们　高兴　都　得　很

＿＿＿＿＿＿＿＿＿＿＿＿＿＿＿＿＿＿＿＿

(4) 本　花　五　这　了　书　美元　才

＿＿＿＿＿＿＿＿＿＿＿＿＿＿＿＿＿＿＿＿

(5) 离开　我们　饭馆　地　高高兴兴　了

＿＿＿＿＿＿＿＿＿＿＿＿＿＿＿＿＿＿＿＿

zào jù

6. 造句 (Make sentences with the given words and expressions.)

(1) 才＿＿＿＿＿＿＿＿＿＿＿＿＿＿＿＿＿

(2) 味道＿＿＿＿＿＿＿＿＿＿＿＿＿＿＿＿

(3) 极了＿＿＿＿＿＿＿＿＿＿＿＿＿＿＿＿

(4) 好吃＿＿＿＿＿＿＿＿＿＿＿＿＿＿＿＿

(5) 点了＿＿＿＿＿＿＿＿＿＿＿＿＿＿＿＿

bǎ kè wén dú gěi bà ba mā ma tīng　ràng tā men píng ping fēn

7. 把课文读给爸爸妈妈听，让他们评评分

(Read the text aloud to your parents and ask them to grade your performance.)

评分	家长签名

láng hé xiǎo yáng

4. 狼 和 小 羊

Lesson 4　The Wolf and the Lamb

xīng qī yī

星 期 一

Monday

xiě yi xiě

1. 写一写 （Learn to write.）

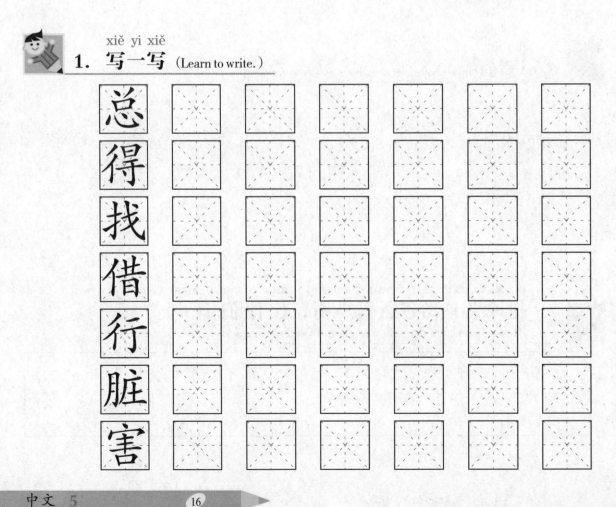

总
得
找
借
行
脏
害

2. 照例子连一连，写汉字 （Link and write after the model.）

你　　　彳　　　扌　　　亻　　　月　　　宀

庄　　　戈　　　心　　　寻　　　吉　　　昔

害

___　　　___　　　___　　　___　　　___

3. 在下列加点字的 正 确读音 上 打"√" （Mark "√" on the correct pronunciations of the dotted characters.）

(1) 明明睡着了。

    A. zhe　　　　　B. zhé　　　　　C. zháo　　　　　D. zhào

(2) 我当着他的面说。

    A. zhe　　　　　B. zhē　　　　　C. zháo　　　　　D. zhào

(3) 我们都吃得很饱。

    A. dé　　　　　B. děi　　　　　C. de

(4) 下雨了，我得回家拿雨衣。

    A. dé　　　　　B. děi　　　　　C. de

(5) 云云这次考试得了九十分。

    A. de　　　　　B. děi　　　　　C. dé

4. 选字填空 （Choose the right characters to fill in the blanks.）

    掉　好　满　脏　饱

(1) 我们一家都吃得很____。

(2) 狼非常想吃____小羊。

(3) 爸爸给汽车加____了油。

(4) 妹妹收拾_____房间就去公园玩儿。

(5) 狼说小羊把河里的水弄_____了。

5. 读课文，填空 (Fill in the blanks according to the text.)

(1) 狼非常_____吃掉小羊，可是他想，_____着面，总得__________个借口才行。

(2) 狼对着小羊大喊起来："你怎么_____这儿来喝水？把我喝的水弄_____了，_____得我_____喝。你_____的什么心？"

(3) 小羊大吃一_____，轻轻地说："亲爱的狼先生，我怎么_____把您喝的水_____脏呢？"

(4) "就_____是这样吧，"狼说，"你也是个_____东西。_____去年你说过我的坏话。"

lián cí chéng jù
6. 连词成句 (Put the given words in the correct order to make sentences.)

(1) 中国菜　我　喜欢　非常　吃

_____

(2) 学　方方　中文　喜欢　非常

_____

(3) 想　玩儿　妹妹　去公园　非常

_____

(4) 哥哥　喜欢　非常　大自然　观察

_____

7. 猜一猜 (Riddles)

cāi yi cāi

(1) "心"上有"你"。（猜本课中的一个字）　——

(2) 左边一个"土"，右边一个"不"。（猜本课中的一个字）

——

(3) 左边一个"月"，右边一个"庄"。（猜本课中的一个字）

——

(4) 左边一个"口"，右边一个"咸"。（猜本课中的一个字）

——

1. 写一写 (Learn to write.)

xiě yi xiě

行						
脏						
害						
轻						
您						

19　　　　中文 5

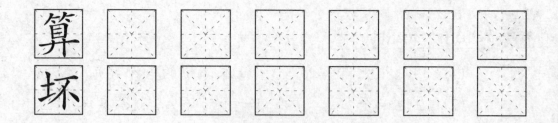

算

坏

zhào lì zi lián yi lián　zǔ cí yǔ
2. 照例子连一连，组词语 （Link and form phrases after the model.）

于　　吃　　非　　听　　去　　喝

水　　年　　是　　惊　　常　　说

于是 ____　____　____　____　____

bǎ huà xiàn de zì de pīn yīn xiě wán zhěng
3. 把画线的字的拼音写完整 （Complete the Pinyin for each underlined character.）

于是：sh____　　　去年：n____　　　借口：j____

弄脏：z____　　　总是：z____　　　您好：n____

xiě chū dài yǒu xià liè piān páng bù shǒu de zì
4. 写出带有下列偏旁部首的字 （Write characters with the given radicals.）

竹：____ ____ ____

扌：____ ____ ____

辶：____ ____ ____

心：____ ____ ____

土：____ ____ ____

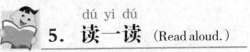

dú yi dú
5. 读一读 （Read aloud.）

我把新衣服穿好了。　　云云把那本画报看完了。

你把我喝的水弄脏了。　　爸爸把汽车的油加满了。

司马光把大水缸砸破了。

bǐ yi bǐ　zài zǔ cí yǔ
6. 比一比，再组词语 （Compare and form phrases.）

$\left\{\begin{array}{l}轻 \underline{\hspace{3cm}} \\ 经 \underline{\hspace{3cm}}\end{array}\right.$ $\left\{\begin{array}{l}脏 \underline{\hspace{3cm}} \\ 脑 \underline{\hspace{3cm}}\end{array}\right.$ $\left\{\begin{array}{l}害 \underline{\hspace{3cm}} \\ 察 \underline{\hspace{3cm}}\end{array}\right.$

$\left\{\begin{array}{l}行 \underline{\hspace{3cm}} \\ 街 \underline{\hspace{3cm}}\end{array}\right.$ $\left\{\begin{array}{l}反 \underline{\hspace{3cm}} \\ 饭 \underline{\hspace{3cm}}\end{array}\right.$ $\left\{\begin{array}{l}总 \underline{\hspace{3cm}} \\ 思 \underline{\hspace{3cm}}\end{array}\right.$

zhào lì zi gǎi xiě jù zi
7. 照例子改写句子 （Reconstruct the sentences with "把" after the model.）

lì
例：我戴好了新帽子。　（把）

　　我把新帽子戴好了。

(1) 我穿好了新衣服。　（把）

(2) 你弄脏了我喝的水。　（把）

(3) 爸爸加满了汽车的油。　（把）

(4) 司马光砸破了大水缸。　（把）

(5) 云云看完了画报。　（把）

xīng qī sān
星 期 三
Wednesday

xiě yi xiě
1. 写一写（Learn to write.）

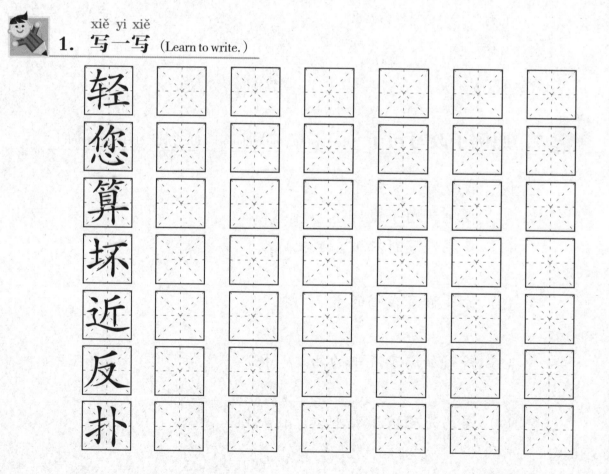

轻						
您						
算						
坏						
近						
反						
扑						

zhào lì zi xiě yi xiě

2. 照例子写一写 (Divide each character below into two parts after the model.)

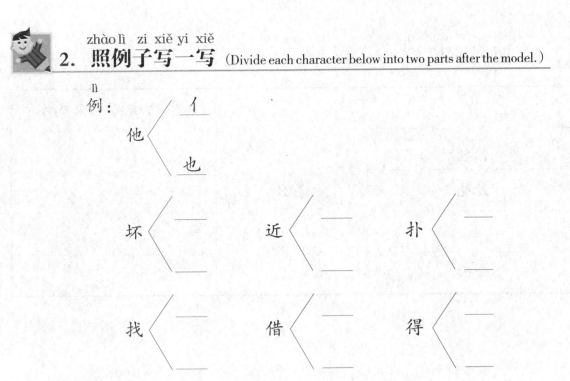

lì
例：

他 ⟨ 亻
     也

坏 ⟨ ___   近 ⟨ ___   扑 ⟨ ___

找 ⟨ ___   借 ⟨ ___   得 ⟨ ___

dú pīn yīn xiě hàn zì

3. 读拼音，写汉字 (Write one character for each Pinyin.)

jīng   huài   děi   nín
吃（ ）   （ ）话   总（ ）   （ ）好

fǎn   jiè   zāng   jìn
（ ）正   （ ）口   弄（ ）   走（ ）

zhào lì zi xiě hàn zì zài zǔ cí yǔ

4. 照例子写 汉字，再组词语 (Write characters and form phrases after the model.)

lì
例：工→ 江 → 江河

京→ ___ → ___   昔→ ___ → ___

不→ ___ → ___   虫→ ___ → ___

斤→ ___ → ___   你→ ___ → ___

良→ ___ → ___   可→ ___ → ___

5. **zhào lì zi tián kàng 照例子填空** (Fill in the form after the model.)

你		到我的小河里来喝水?
hú li 狐狸		
月亮	怎么	
我		
云云		

6. **yuè dú duǎn wén pàn duàn jù zi duì de dǎ cuò de dǎ 阅读短文,判断句子,对的打"√",错的打"×"**

(Judge the correctness of the sentences with "√" on each right sentence and "×" on each wrong sentence according to the passage below.)

从前,有一只狼和一只狮子,他们常对别人说:"我们要做好朋友。"

一天,狮子不小心掉进了河里。狼看见了,马上跑了过去。狮子说:"好朋友,快来救救我!"狼说:"那当然,谁叫我们是好朋友呢?不过,我救了你,你怎样谢我?"狮子听了很生气,但没有办法,只得说:"我家里有一只羊。要是你救了我,我就把那只羊给你吃。"狼说:"那真是太好了!我现在饿得一点儿力气也没有了,等我去吃掉那只羊,再来救你吧。"狼说完,掉头就走。狮子看见狼走了,生气地说:"这算什么好朋友!"

(1) 一天,狮子掉进了河里,狼把他救上来了。　　　　(　　)

(2) 狼想吃那只羊,不想救狮子。　　　　　　　　　　(　　)

(3) 狼掉进了河里，狮子没有把他救上来。　　（　　）

(4) 狼和狮子不是真正的朋友。　　（　　）

lǎng dú kè wén

7. 朗读课文 (Read the text aloud.)

xiě yi xiě
1. 写一写 （Learn to write.）

近
反
扑
总
得
找
借

dú pīn yīn   xiě cí yǔ

2. 读拼音，写词语 （Write suitable word for each Pinyin.）

dàshēng   nàr   xiǎohé
（   ）   （   ）   （   ）

xuésheng   nǎr   hēshuǐ
（   ）   （   ）   （   ）

gǎi cuò bié zì

3. 改错别字 （Find out and correct the wrong characters.）

(1) 狼想戈个昔口吃掉小羊。 （   ）（   ）

(2) 小羊大乞一就。 （   ）（   ）

(3) 你巴我渴的水弄庄了。 （   ）（   ）（   ）

(4) 郎看见小羊证在哪儿喝水。 （   ）（   ）（   ）

dú kè wén   pàn duàn jù zi   duì de dǎ   cuò de dǎ

4. 读课文，判断句子，对的打"√"，错的打"×"

（Judge the correctness of the sentences with "√" on each right sentence and "×" on each wrong sentence according to the text .）

(1) 小羊把河水弄脏了。   （   ）

　　　　bèi
(2) 小羊去年就在背后说过狼的坏话。   （   ）

(3) 狼想，当着面，不用找什么借口。   （   ）

　　　　　　　róng yì
(4) 要是想做坏事，那是很容易找到借口的。   （   ）

5. 照例子去掉下列字的偏旁部首，再组词语 (Write characters and form phrases after the model.)

lì
例：字 子　　孩子

坏 ＿＿＿ ＿＿＿　　您 ＿＿＿ ＿＿＿

休 ＿＿＿ ＿＿＿　　辆 ＿＿＿ ＿＿＿

林 ＿＿＿ ＿＿＿　　课 ＿＿＿ ＿＿＿

6. 读句子，用加点的词语造句 (Make sentences with the dotted words or expressions.)

(1) 说我坏话的，不是你就是你爸爸，反正都一样。

＿＿＿＿＿＿＿＿＿＿

(2) 你把我喝的水弄脏了。

＿＿＿＿＿＿＿＿＿＿

(3) 狼非常想吃掉小羊。

＿＿＿＿＿＿＿＿＿＿

(4) 你怎么到这儿来喝水？

＿＿＿＿＿＿＿＿＿＿

7. 把课文读给爸爸妈妈听，让他们评评分 (Read the text aloud to your parents and ask them to grade your performance.)

评分	家长签名

xīng qī wǔ
星 期 五
Friday

bǎ xià mian de zì xiě wán zhěng
1. 把下面的字写完整（Complete the following characters.）

旷　供　宇　您　笆　徨

shǔ bǐ huà　tián kòng
2. 数笔画，填空（Count the strokes and fill in the blanks.）

(1) "得"一共有___画，左边是___，右边是___。

(2) "行"一共有___画，左边是___，右边是___。

(3) "脏"一共有___画，左边是___，右边是___。

(4) "轻"一共有___画，左边是___，右边是___。

(5) "菜"一共有___画，上边是___，下边是___。

(6) "您"一共有___画，上边是___，下边是___。

3. 照例子写反义词 （Write the antonyms after the model.）

lì
例：上——<u>下</u>

好——___   正——___   深——___

远——___   这——___   前——___

zài xià liè jiā diǎn cí yǔ de zhèng què dú yīn shang dǎ

4. 在下列加点词语的正确读音上打"√" （Mark "√" on the correct pronunciations of the dotted words.）

(1) 狼看见小羊正在那儿喝水。

    A. nàer   B. nǎer   C. nàr

(2) 小羊大吃一惊。

    A. dàchīyìjīng   B. dàchīyìjīn   C. dàshīyìjīng

(3) 去年你说过我的坏话。

    A. jùnián   B. pùnián   C. qùnián

(4) 狼向小羊扑了过去。

    A. pū   B. bù   C. mù

gǎi bìng jù

5. 改病句 （Correct the following sentences.）

(1) 狼想非常吃掉小羊。

    _____

(2) 你把弄脏了我喝的水。

    _____

(3) 你是个坏东西也。

    _____

(4) 我会怎么把您喝的水弄脏呢？

    _____

dú kè wén　　huí dá wèn tí

6. 读课文，回答问题 （Answer the following questions according to the text.）

(1) 狼来到小河边，看到了什么？

_____

(2) 狼想对小羊怎么样？

_____

(3) 狼找了一个什么借口？

_____

(4) 小羊对狼说了什么？你觉得小羊聪明吗？为什么？

_____

dú yi dú　　cāi yi cāi

7. 读一读，猜一猜 （Make a guess.）

　　它没有颜色。你可以把它变成红色，也可以把它变成蓝色。它可以是圆的，也可以是方的。它可以从地下冒出来，也可以从天上掉下来。用它可以救火，用它可以生活。反正人们天天都离不开它。

　　它是_____。

chéng yǔ gù shi
6. 成语故事

Lesson 6   Stories about Idioms

xīng qī yī
星 期 一
Monday

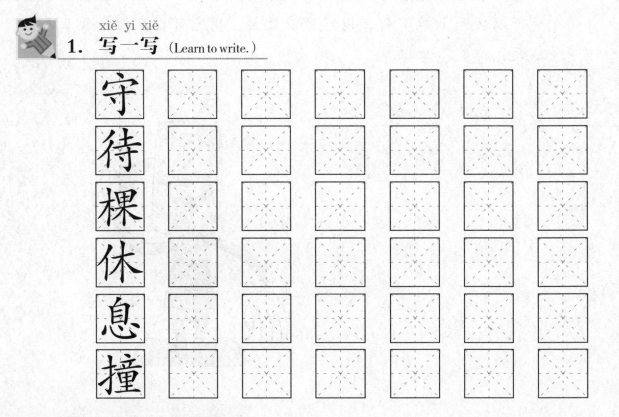

xiě yi xiě
1. 写一写 (Learn to write.)

守					
待					
棵					
休					
息					
撞					

中文 5   32

2. 读拼音，写汉字 (Write one character for each Pinyin.)

chuí   sàng   kē   guài
（　）头（　）气   一（　）大树   奇（　）

xiū   cǐ   shǐ   zhōng
（　）息   从（　）   （　）（　）

xiě chū dài yǒu xià liè piān páng bù shǒu de zì

3. 写出带有下列偏旁部首的字 (Write characters with the given radicals.)

宀： ＿＿＿ ＿＿＿ ＿＿＿

木： ＿＿＿ ＿＿＿ ＿＿＿

彳： ＿＿＿ ＿＿＿ ＿＿＿

心： ＿＿＿ ＿＿＿ ＿＿＿

扌： ＿＿＿ ＿＿＿ ＿＿＿

刂： ＿＿＿ ＿＿＿ ＿＿＿

dú kè wén   tián kòng

4. 读课文，填空 (Fill in the blanks according to the text.)

(1) 很＿＿以前，有个农民在田里干活儿。他＿＿了，走到田边一＿＿大树下＿＿。

(2) 没多久，一只兔子飞快地＿＿来，不小心，一头＿＿在大树上，当场＿＿了。

(3) 他想："我没＿＿一点儿力气就＿＿拾到兔子，如果每天都能这样，那该＿＿啊！"

(4) 从＿＿以后，他不再干活儿了，天天＿＿在大树下，等着＿＿＿兔子。

5. zhào lì zi gǎi xiě jù zi
照例子改写句子 （Reconstruct the sentences with "如果…就…" after the model.）

lì
例：①下雨了。

②我们在家里看书。（如果…就…）

如果下雨了，我们就在家里看书。

(1) ①雨停了。

②我们去花园种花。（如果…就…）

_____

(2) ①放假了。

②我和爸爸妈妈去中国旅游。（如果…就…）

_____

(3) ①汽车没油了。

②我们去加油站加油。（如果…就…）

_____

(4) ①你喜欢这个本子。

②我给你买一本吧。（如果…就…）

_____

(5) ①你喜欢吃中国菜。

②我们去中餐馆。（如果…就…）

_____

6. yuè dú duǎn wén pàn duàn jù zi duì de dǎ cuò de dǎ
阅读短文，判断句子，对的打"√"，错的打"×"
（Judge the correctness of the sentences with "√" on each right sentence and "×" on each wrong sentence according to the passage below.）

　　有一天，地主在两张纸上都写了个"死"字，然后对阿凡提
zhǔ   ā fán

zhuō   tuán
说："桌上有两个纸团，一个里面写着'生'，一个里面写着

                                                    ā fán
            xuǎn
'死'。你选一个吧，看看你的运气怎么样?"阿凡提想了
              tuán   zhǔ   zhuō
想，不慌不忙地拿起一个纸团吃掉了，对地主说："你看看桌
       tuán   tuán
上的那个纸团里写的是什么字，就知道我吃下的纸团里写的是
         ā fán   zhǔ
什么字了。"说完，阿凡提哈哈大笑，地主气得说不出话来。

          tuán
(1) 那两个纸团里，一个写着"生"字，一个写着"死"
    字。   (   )
      ā fán   tuán
(2) 阿凡提吃掉的那个纸团上写着"生"字。   (   )
    zhuō   tuán
(3) 桌子上的那个纸团里写着"死"字。   (   )
       zhǔ   ā fán
(4) 地主听了阿凡提的话后很高兴。   (   )

lǎng dú kè wén
7. 朗读课文 (Read the text aloud.)

星 期 二
xīng qī èr
Tuesday

xiě yi xiě

1. 写一写（Learn to write.）

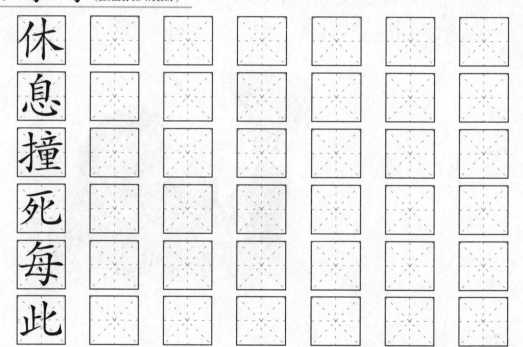

休
息
撞
死
每
此

2. 比一比，再组词语 (Compare and form phrases.)

$$\begin{cases} 息 \underline{\hspace{3cm}} \\ 感 \underline{\hspace{3cm}} \end{cases}$$

$$\begin{cases} 撞 \underline{\hspace{3cm}} \\ 童 \underline{\hspace{3cm}} \end{cases}$$

$$\begin{cases} 此 \underline{\hspace{3cm}} \\ 些 \underline{\hspace{3cm}} \end{cases}$$

$$\begin{cases} 休 \underline{\hspace{3cm}} \\ 体 \underline{\hspace{3cm}} \end{cases}$$

$$\begin{cases} 农 \underline{\hspace{3cm}} \\ 衣 \underline{\hspace{3cm}} \end{cases}$$

$$\begin{cases} 每 \underline{\hspace{3cm}} \\ 海 \underline{\hspace{3cm}} \end{cases}$$

dú yi dú

3. 读一读 (Read aloud.)

农民走到树下休息。

hú li

狐狸来到葡萄园摘葡萄。

明明跑到商店里买文具。

从此以后，农民不再干活儿了。

从此以后，小猫不再三心二意了。

从此以后，云云不再让妈妈收拾房间了。

xuǎn cí yǔ tián kòng

4. 选词语填空 (Choose the right words to fill in the blanks.)

条　个　串　只　道　棵

两___大树　　五___农民　　一___好菜

一___兔子　　一___大河　　一___葡萄

5. 猜一猜 (Riddles)

(1) "果"字左边一个"木"。 （猜本课中的一个字） ___

(2) "心"字上面一个"自"。 （猜本课中的一个字） ___

(3) "走"字右边一个"干"。 （猜本课中的一个字） ___

(4) 一个"人""木"边站。 （猜本课中的一个字） ___

(5) "些"字下面少个"二"。 （猜本课中的一个字） ___

zhào lì zi tián kòng
6. 照例子填空 (Fill in the forms after the model.)

农民	走到	大树下	休息。
hú li 狐狸	来到		
明明	跑到		

从此以后，	他	不再干活儿了。
	云云	
	小猫	

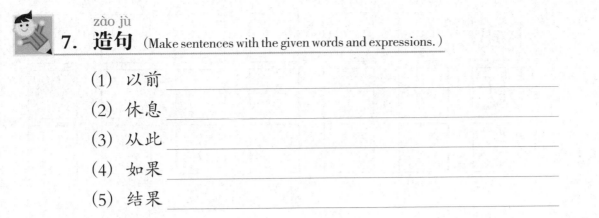

7. 造句 zào jù （Make sentences with the given words and expressions.）

(1) 以前 _____

(2) 休息 _____

(3) 从此 _____

(4) 如果 _____

(5) 结果 _____

xīng qī sān
星期三
Wednesday

1. 写一写 xiě yi xiě （Learn to write.）

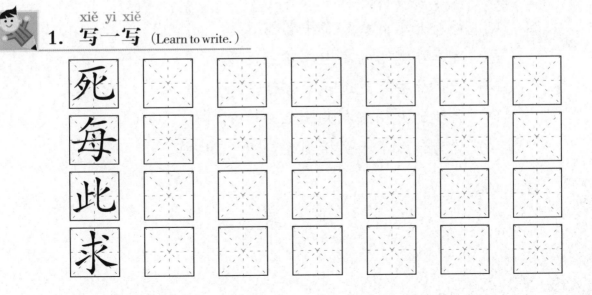

死 每 此 求

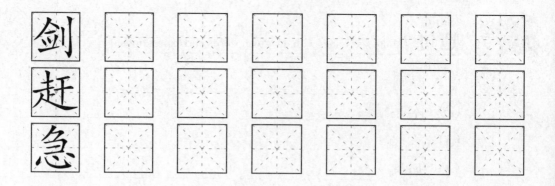

剑
赶
急

2. 照例子连一连，写汉字 zhào lì zi lián yi lián xiě hàn zì (Link and write after the model.)

2. 照例子连一连，写汉字（Link and write after the model.）

亥　　木　　自　　宀　　讠　　扌　　月

寸　　童　　兑　　庄　　心　　果　　刂

说　　_____　　_____　　_____

3. 改错别字（Find out and correct the wrong characters.）

(1) 要是你吉欢，就给你买一个吧。（　　）

(2) 爸爸开车戴我到了中餐馆。（　　）

(3) 汽车在宽活的高速工路上飞跑。（　　）（　　）

(4) 听说你去年说过我的怀话。（　　）

(5) 火执的太阳照在大地上。（　　）

(6) 你为什么不干快捞剑呢? （　　）

4. 照例子写汉字，再组词语 (Write characters and form phrases after the model.)

zhào lì zi xiě hàn zì   zài zǔ cí yǔ

lì

例：工→ 红 → 红色

童→ ___ → ___   自→ ___ → ___

木 → ___ → ___   干→ ___ → ___

母→ ___ → ___   亥→ ___ → ___

5. 读拼音，写词语 (Write suitable words for each Pinyin.)

dú pīn yīn xiě cí yǔ

měitiān   cóngcǐ   zháojí   gǎnkuài

_____   _____   _____   _____

kèzhōuqiújiàn   shǒuzhūdàitù

_____   _____

6. 连词成句 (Put the given words in the correct order to make sentences.)

lián cí chéng jù

(1) 走到 休息 他 大树下

_____

(2) 兔子 农民 大树下 守在 等

_____

(3) 狐狸 伸出手去 葡萄 摘
    hú li

_____

(4) 开车 看病 爸爸 去医院

_____

(5) 去超市 我 买文具 和妈妈

_____

7. 读课文，回答问题 *dú kè wén   huí dá wèn tí* (Answer the following questions according to the text.)

(1) 那个农民是怎样得到一只兔子的？

_____

(2) 得到那只兔子以后，农民心里想了什么？

_____

(3) 过河的人把什么掉到河里了？

_____

(4) 你觉得过河的人可以把掉到河里的东西捞上来吗？为什么？

_____

xīng qī sì
星 期 四
Thursday

xiě yi xiě
1. 写一写 (Learn to write.)

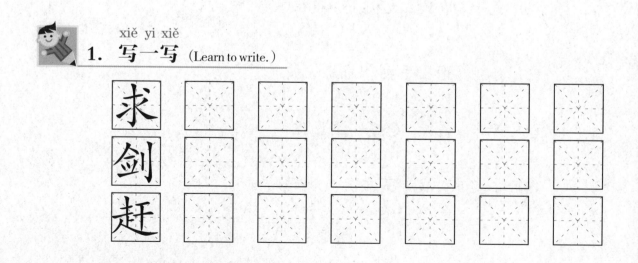

求
剑
赶

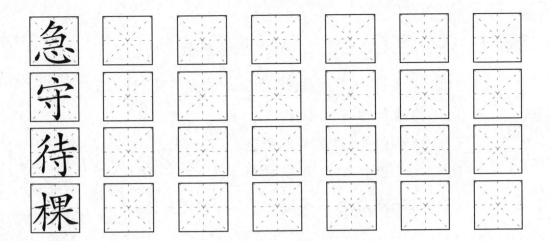

急
守
待
棵

2. *dú pīn yīn xiě hàn zì*
读拼音，写汉字 (Write one character for each Pinyin below.)

gàn
（　）活

gǎn
（　）到

xi
休（　）

xī
（　）边

shǒu zhū dài
（　）株（　）兔

shǒu
双（　）

dài
（　）帽子

zhōu qiú jiàn
刻舟（　）（　）

qiú
地（　）

jian
看（　）

3. *xiě chū xià liè zì de piān páng bù shǒu*
写出下列字的 偏旁 部首 (Fill in the blanks with the radicals of the given characters.)

剑:＿＿　　赶:＿＿　　待:＿＿

守:＿＿　　棵:＿＿　　急:＿＿

gǎi cuò bié zì
4. 改错别字 (Find out and correct the wrong characters.)

(1) 古代有一个成语叫"刻舟求箭"。（　　）
　　　　　　　　　　zhōu

(2) 你为什么不干快捞呢？（　　）

(3) 从些以后，他不再干活儿了。（　　）

(4) 那个农民母天在树下等着。（　　）

(5) 他一点儿也不着邹。（　　）

lián cí chéng jù
5. 连词成句 (Put the given words in correct order to make sentences.)

(1) 是从　我的剑　掉下去的　这儿

_____

(2) 我家　中国　是从　搬来的

_____

(3) 校车　开出去的　我们的　学校里　是从

_____

(4) 钓上来的　鱼　是从　小猫的　河里

_____

(5) 买回来的　方方的　是从　书　书店里

_____

(6) 飞机　中国　这架　是从　飞来的

_____

bǎ ér gē dú gěi bà ba mā ma tīng   ràng tā men píng ping fēn
6. 把儿歌读给爸爸妈妈听，让他们 评 评分
（Read the children's song to your parents and ask them to grade your performance.）

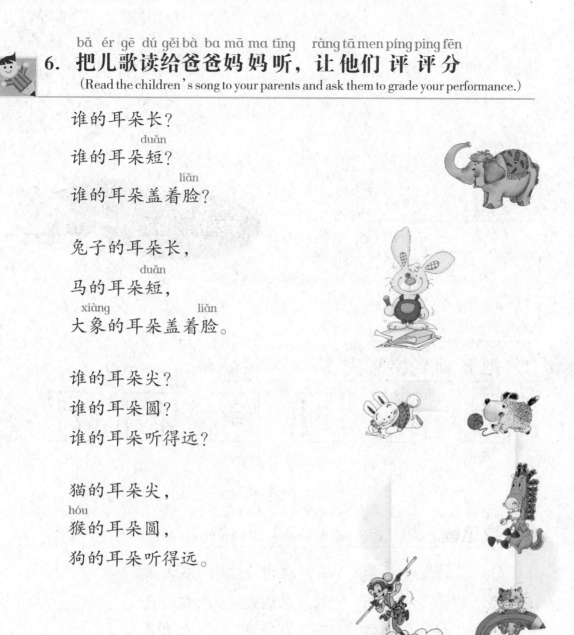

谁的耳朵长？

duǎn
谁的耳朵短？

liǎn
谁的耳朵盖着脸？

兔子的耳朵长，

duǎn
马的耳朵短，

xiàng   liǎn
大象的耳朵盖着脸。

谁的耳朵尖？

谁的耳朵圆？

谁的耳朵听得远？

猫的耳朵尖，

hóu
猴的耳朵圆，

狗的耳朵听得远。

评 分	家长签名

bǎ xià mian de zì xiě wán zhěng
1. 把下面的字写完整 (Complete the following characters.)

shǔ bǐ huà   tián kòng
2. 数笔画，填空 (Count the strokes and fill in the blanks.)

(1) "待" 一共有___画，左边是___，右边是___。

(2) "休" 一共有___画，左边是___，右边是___。

(3) "剑" 一共有___画，左边是___，右边是___。

(4) "息" 一共有___画，上边是___，下边是___。

(5) "等" 一共有___画，上边是___，下边是___。

(6) "守" 一共有___画，上边是___，下边是___。

3. zhào lì zi lián yi lián　　zǔ cí yǔ

照例子连一连，组词语 (Link and form phrases after the model.)

以　农　休　从　中　着　赶

快　急　间　民　前　息　此

以前

4. zhǎo chū bù tóng lèi de cí　xiě zài　　li

找 出 不 同 类 的 词，写 在 （ ） 里 (Fill in each blank with the word which does not belong to its group.)

(1) 兔子　狐狸　葡萄　小羊　（ 　 ）

hú lì

(2) 鸡蛋　鱼　　肉　　汽车　（ 　 ）

(3) 大树　小刀　花儿　小草　（ 　 ）

(4) 每天　每年　每人　每星期　（ 　 ）

5. gǎi bìng jù

改病句 (Correct the following sentences.)

(1) 他干活儿不慌不忙地。

_____

(2) 一只兔子跑来飞快地。

_____

(3) 云云问方方奇怪地。

_____

(4) 那个农民吃了美美地一顿。

_____

(5) 冬冬找着自己的本子着急地。

_____

6. *zào jù* **造句** （Make sentences with the given words and expressions.）

（1） 都 ＿＿＿＿＿＿＿＿＿＿＿＿＿＿＿＿＿＿＿＿＿

（2） 可以 ＿＿＿＿＿＿＿＿＿＿＿＿＿＿＿＿＿＿＿

（3） 不慌不忙 ＿＿＿＿＿＿＿＿＿＿＿＿＿＿＿＿＿

（4） 着急 ＿＿＿＿＿＿＿＿＿＿＿＿＿＿＿＿＿＿＿

（5） 赶快 ＿＿＿＿＿＿＿＿＿＿＿＿＿＿＿＿＿＿＿

7. *bǎ kè wén dú gěi bà ba mā ma tīng　ràng tā men píng píng fēn*
把课文读给爸爸妈妈听，让他们评评分
（Read the text aloud to your parents and ask them to grade your performance.）

评　分	家长签名

tángrénjiē

8. 唐人街

Lesson 8   The Chinatown

xīng qī yī

星期一

Monday

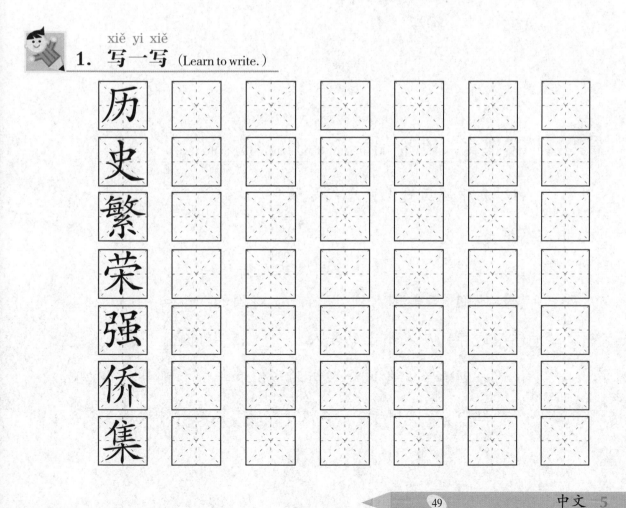

xiě yi xiě

1. 写一写（Learn to write.）

历						
史						
繁						
荣						
强						
侨						
集						

2. ^{xiě chū xià liè zì de piān páng bù shǒu zài xiě yí ge xīn zì}
写出下列字的偏 旁 部首，再写一个新字（Find and write down the radicals of the characters below and make different characters with them.）

行→___→___　　劳→___→___　　起→___→___

草→___→___　　张→___→___　　原→___→___

3. ^{zhào lì zi lián yi lián   zǔ cí yǔ}
照例子连一连，组词语（Link and form phrases after the model.）

做　　　红灯 _____

开　　　饺子 _____

办　　　狮子 _____

挂　　　学校 办学校

吃　　　商店 _____

舞　　　买卖 _____

4. ^{dú kè wén   tián kòng}
读课文，填 空（Fill in the blanks according to the text.）

(1) 在中国历史上，唐代是很_____。

(2) _____叫做"唐人"。

(3) _____就叫"唐人街"。

(4) 他们___美国人民___，___美国的___和___立_____。

(5) 这样，唐人街上的华人_____，街道也_____。

(6) 一到春节，各地唐人街的华侨和华人，都要___对联，___
红灯，___狮子，___饺子，___都是一片欢乐景象。

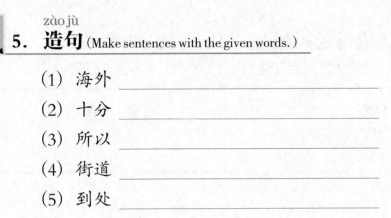

5. *zào jù*
造句 (Make sentences with the given words.)

(1) 海外 ＿＿＿＿＿＿＿＿＿＿＿＿＿＿＿＿＿＿

(2) 十分 ＿＿＿＿＿＿＿＿＿＿＿＿＿＿＿＿＿＿

(3) 所以 ＿＿＿＿＿＿＿＿＿＿＿＿＿＿＿＿＿＿

(4) 街道 ＿＿＿＿＿＿＿＿＿＿＿＿＿＿＿＿＿＿

(5) 到处 ＿＿＿＿＿＿＿＿＿＿＿＿＿＿＿＿＿＿

6. *zhào lì zi jiù huà xiàn bù fen tí wèn*
照例子就画 线 部分提问 (Ask questions about the underlined parts after the model.)

lì
例：他的剑掉进<u>河里</u>了。

他的剑掉进哪儿了？

(1) <u>有的华人</u>办起了学校。

＿＿＿＿＿＿＿＿＿＿＿＿＿＿＿＿？

táng
(2) 有的华人在<u>唐人街</u>开中国餐馆。

＿＿＿＿＿＿＿＿＿＿＿＿＿＿＿＿？

(3) 一到春节，家家门前都要挂<u>红灯</u>。

＿＿＿＿＿＿＿＿＿＿＿＿＿＿＿＿？

(4) 现在的街道<u>越来越繁华</u>。

＿＿＿＿＿＿＿＿＿＿＿＿＿＿＿＿？

(5) 我要<u>这种</u>黑色的圆珠笔。

＿＿＿＿＿＿＿＿＿＿＿＿＿＿＿＿？

7. 把课文读给爸爸妈妈听，让他们评评分

（Read the text aloud to your parents and ask them to grade your performance.）

评 分	家长签名

xīng qī èr
星 期 二
Tuesday

xiě yi xiě
1. 写一写（Learn to write.）

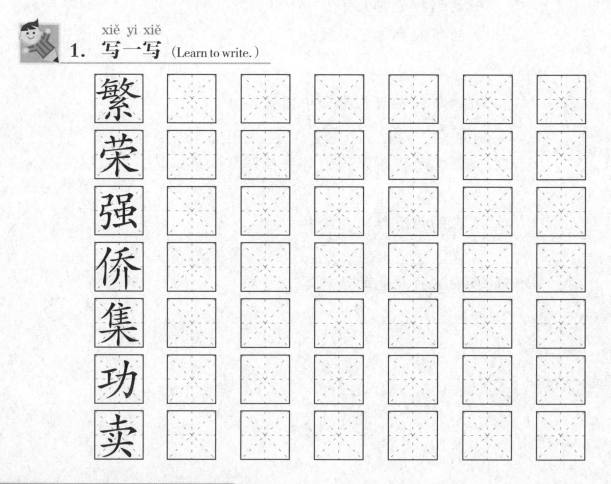

繁

荣

强

侨

集

功

卖

2. 画出下列句中的错别字，把正确的字写在（ ）里
huà chū xià liè jù zhōng de cuò bié zì　　bǎ zhèng què de zì xiě zài　　li

(Find out and correct the wrong characters.)

(1) 海外华桥尝尝把自己叫做"唐人"。（ ）（ ）（ ）
　　　　　　　　　　　　　　　　　táng

(2) 一到春节，中国人都要舞狮子、贴对联、吃饺子。
　　　　　　　　　　　　　　　　　　lián　　jiǎo
　　　　　　　　　　　　　　　　　　　（ ）（ ）

(3) 到外都是一片欢乐景象。（ ）（ ）

(4) 在市界个地都有唐人街。（ ）（ ）
　　　　táng

(5) 街道越来越繁华。（ ）（ ）

(6) 在中国力史上，唐代是很繁劳很富强的。（ ）（ ）
　　　　　　　　táng

3. 照例子写汉字，再组词语 (Combine these parts to make characters and form phrases after the model.)
zhào lì zi xiě hàn zì　　zài zǔ cí yǔ

例：亻+木 → 休　　休息
　　lì

厂 + 力 → ___　___　　　弓 + 虽 → ___　___

亻 + 乔 → ___　___　　　工 + 力 → ___　___

贝 + 占 → ___　___　　　隹 + 木 → ___　___

4. 照例子填空 (Fill in the blanks after the model.)
zhào lì zi tián kòng

例：我 和 你
　　lì

___和___　　　___和___

___和___　　　___和___

lì
例：越来越<u>繁华</u>
　　越来越_____　　越来越_____
　　越来越_____　　越来越_____

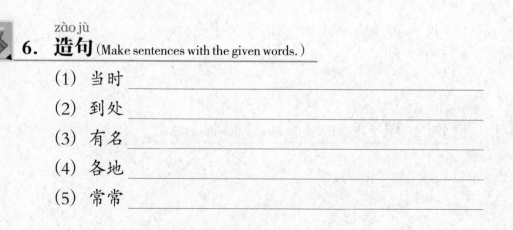

5. 连词 成句 (Put the given words in the correct order to make sentences.)

(1) 立 的 他们 下 了 功劳 很大

_____

(2) 有 讲 到处 汉语 人 都

_____

(3) 越 现在 来 的 街道 越 繁华

_____

(4) 中文学校 了 同乡会 办 他们 起 了 成立

_____

(5) 年画儿 贴着 我家 门上

_____

zào jù
6. 造句 (Make sentences with the given words.)

(1) 当时 _____
(2) 到处 _____
(3) 有名 _____
(4) 各地 _____
(5) 常常 _____

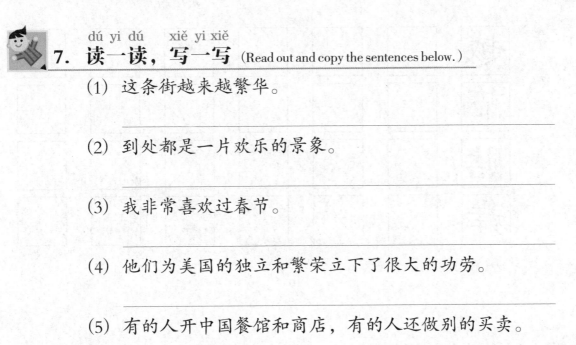

dú yi dú   xiě yi xiě

7. 读一读，写一写 (Read out and copy the sentences below.)

(1) 这条街越来越繁华。

_____

(2) 到处都是一片欢乐的景象。

_____

(3) 我非常喜欢过春节。

_____

(4) 他们为美国的独立和繁荣立下了很大的功劳。

_____

(5) 有的人开中国餐馆和商店，有的人还做别的买卖。

_____

xīng qī sān
星 期 三
Wednesday

xiě yi xiě

1. 写一写 (Learn to write.)

集						
功						
卖						

55　　中文 **5**

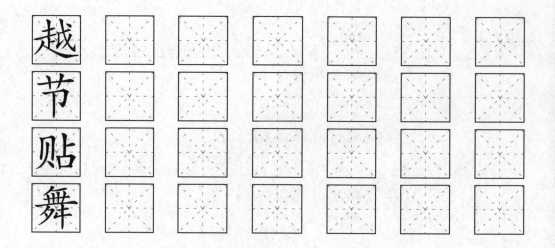

越
节
贴
舞

2. 读拼音，写汉字 (Write one character for each Pinyin.)

jí   dú   fán   gōng
（ ）中   （ ）立   （ ）荣   （ ）劳

jiē   qiáo   jié   lì
（ ）道   华（ ）   春（ ）   （ ）史

zhào lì zi àn zhào hàn zì jié gòu xiě yi xiě
3. 照例子按照 汉字结构写一写 (Classify the characters below according to the structures after the model.)

街 历 史 荣 强 侨 集 架 越 线 近 长
等 密 最 准 谢 表 做 鼻 刀 贴 寸 店

gòu
(1) 左右结构：贴＿＿＿＿＿＿＿＿＿

gòu
(2) 上下结构：最＿＿＿＿＿＿＿＿＿

gòu
(3) 左中右结构：街＿＿＿＿＿＿＿＿

gòu
(4) 上中下结构：鼻＿＿＿＿＿＿＿＿

(5) 半包围结构：店 wéi gòu _____

(6) 独体字：刀 _____

4. 填空 (Fill in the blanks with suitable words.)

____的街道   ____的功劳

____的景象   ____的国家

____的河水   ____的太阳

5. 照例子写句子 (Reconstruct the sentences with the given words or expressions after the model.)

例：汽车在高速公路上飞跑。（宽阔的）

汽车在宽阔的高速公路上飞跑。

(1) 他们为美国的独立和繁荣立下了功劳。（很大的）

_____

(2) 太阳照在大地上。（火热的）

_____

(3) 生活在这里的是一些华工。（最早）

_____

(4) 这个农民吃了一顿。（美美地）

_____

(5) 一串葡萄挂在葡萄架上。（又圆又大的）（高高地）

_____

6. 用 ( ) 里的词语完成句子 (Complete the sentences below with the given words and expressions.)

(1) 唐（táng）人街上的华人＿＿＿＿＿＿＿＿＿＿＿＿＿。 （越来越）

(2) 一到春节，各地唐（táng）人街的华侨和华人都要＿＿＿＿＿＿＿
＿＿＿＿＿＿＿＿＿＿＿＿＿＿。 （挂、舞、吃）

(3) 圣（shèng）诞（dàn）节时，我们那儿到处都是＿＿＿＿＿＿＿＿。 （快乐）

(4) 他天天守在大树下等着拾兔子，等来等去＿＿＿＿＿＿＿
＿＿＿＿＿＿＿＿＿＿＿。 （结果）

(5) 那串葡萄太高了，他跳了一次又一次，但是＿＿＿＿＿＿＿
＿＿＿＿＿＿＿＿＿＿＿。 （始终）

7. 阅读短文，回答问题 (Reading comprehension)

　　阿（ā）里刚来中国时，他在一个小吃店里吃过一种东西。他觉得这种东西味道很不错。一天，他再次来到这家小吃店。服务员问他："你想吃点儿什么？"阿（ā）里刚想说，可是想不起那种东西的名字。于是，他说："我要的东西是面做的，里面包着肉。"服务员拿来一盘包子。阿（ā）里忙说："我要的东西不是圆的，是半（bàn）圆的，是放在水里煮（zhǔ）熟的。"服务员这才给他拿了他想吃的东西。

(1) 阿里想吃的到底是什么？

ā

_____

(2) 阿里以前吃过这种东西吗？

ā

_____

xiě yi xiě
1. 写一写 (Learn to write.)

越						
节						
贴						
舞						

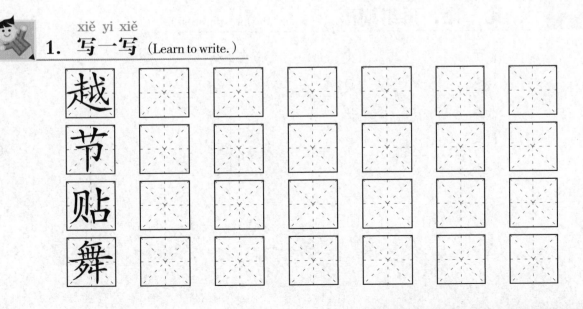

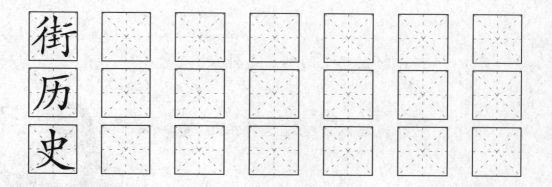

街
历
史

2. 选字填空 (Choose the right characters to fill in the blanks.)

(1) 他们___（为、办）美国的独___（历、立、力）和繁荣
___（历、立、力）下了很大的___（公、工、功）劳。

(2) 街上到___（外、处）都是一片欢乐的景___（象、像）。

(3) 后来他们___（为、办）起了中文学校。

(4) 河水又深又___（极、急），我怎么能下水捞剑呢?

(5) 我___（以、已、己）经在船上___（作、坐、做）了___
（记、纪）号了。

bǐ yi bǐ zài zǔ cí yǔ

3. 比一比，再组词语 (Compare and form phrases.)

{ 节 _____
{ 爷 _____

{ 史 _____
{ 更 _____

{ 行 _____
{ 街 _____

{ 劳 _____
{ 荣 _____

{ 谁 _____
{ 集 _____

{ 越 _____
{ 起 _____
{ 超 _____

4. 照例子连一连，组词语 (Link and form phrases after the model.)

繁华的   人们   欢乐的人们

欢乐的   饭菜   _____

有趣的   河水   _____

好吃的   教室   _____

安静的   故事   _____

又急又深的   街道   _____

5. 照例子改写句子 (Reconstruct the sentences with the given words after the model.)

lì
例：爸爸看报。（在房间里）
　　爸爸在房间里看报。

(1) 有的人开中国餐馆。（在那条街上）

　　_____

(2) 他们立下了很大的功劳。（为美国的繁荣）

　　_____

(3) 我的剑掉下去了。（从这里）

　　_____

(4) 狼喊起来："你把我喝的水弄脏了!"（对小羊）

　　_____

(5) 是我弄坏的。（把玩具）

　　_____

6. 照例子填一填，读一读(Fill in the form after the model and read out.)

我	和	爸爸	上街去。
		爷爷	
亮亮			
	和	妈妈	
			到中国餐馆吃饭去。

zào jù

7. 造句（Make sentences with the given expressions. ）

(1) 越来越… _____

(2) 有的…有的… _____

(3) 和…一起 _____

(4) 把…叫做… _____

(5) 先…接着…最后… _____

1. 读拼音，写汉字 (Write one character for each Pinyin.)
dú pīn yīn   xiě hàn zì

jiē	qiáo	qiáng
（　）道	华（　）	（　）大

wǔ	shǐ	fán
跳（　）	历（　）	（　）荣

jí	mài	jié
（　）中	买（　）	春（　）

2. 比一比，再组词语 (Compare and form phrases.)
bǐ yi bǐ   zài zǔ cí yǔ

侨 ＿＿＿＿　　　华 ＿＿＿＿　　　买 ＿＿＿＿
桥 ＿＿＿＿　　　花 ＿＿＿＿　　　卖 ＿＿＿＿

象 ＿＿＿＿　　　强 ＿＿＿＿　　　站 ＿＿＿＿
像 ＿＿＿＿　　　张 ＿＿＿＿　　　贴 ＿＿＿＿

3. 选词语填空 (Choose the right words to fill in the blanks.)

感到　买卖　于是　越来越　到处　当时　贴

(1) 他们有的人开中国餐馆和商店，有的人还做别的＿＿＿＿。

(2) 春节到了，家家门上都＿＿＿＿着年画，挂着红灯，＿＿＿＿
都是一片欢乐的景象。

(3) 爸爸说："＿＿＿＿这里只有几个华人，现在这里的华人
＿＿＿＿多了。"

(4) 人们＿＿＿＿很奇怪，就问他："你为什么不赶快捞剑呢?"

(5) 狼非常想吃掉小羊，＿＿＿＿他就对着小羊大喊起来："你
怎么到这儿来喝水? 你把我喝的水弄脏了!"

4. 读课文，判断句子，对的打"√"，错的打"×"
(Judge the correctness of the sentences with "√" on each right sentence and "×" on each
wrong sentence according to the text .)

(1) 只有美国旧金山才有唐人街。　　　　　　　　　　（　　）
　　jiù　　　táng

(2) 唐人街上的华人很多。　　　　　　　　　　　　　（　　）
　táng

(3) 在唐人街上很少看到中国字。　　　　　　　　　　（　　）
　　táng

(4) 在中国历史上唐代很繁荣。　　　　　　　　　　　（　　）
　　　　táng

(5) 华人只开中国餐馆和商店。　　　　　　　　　　　（　　）

(6) 唐人街以前的街道很繁华，现在不繁华了。　　　　（　　）
　táng

5. 造句 (Make sentences with the given words.)

(1) 当年 ＿＿＿＿＿＿＿＿＿＿＿＿＿＿＿＿＿＿＿＿＿＿

(2) 成立 ＿＿＿＿＿＿＿＿＿＿＿＿＿＿＿＿＿＿＿＿＿＿

(3) 集中 _____

(4) 一些 _____

(5) 历史 _____

6. 改病句 （Correct the following sentences.）

(1) 他们立下了很大的功劳为美国的繁荣。

_____

(2) 现在这条街越来越很繁华。

_____

(3) 一到春节，都是一片欢乐景象到处。

_____

(4) 有的人在这里做中国餐馆和商店，有的人还开买卖。

_____

(5) 我的剑是掉下去从这儿。

_____

7. 阅读短文，回答问题 （Reading comprehension）

小猴子和小马要比赛，因为他们都觉得自己的本事大。老牛伯伯看见了，就说："这样吧。你们看，前边小河对岸有棵苹果树，谁先摘到苹果，谁的本事就最大。现在就开始！"老牛刚说完，小马就跑了出去。

小马当然跑得快。她不一会儿就跑到了河边，再一跳就过了小河，来到了苹果树下。可是苹果树很高，小马怎么也摘不到苹果。小猴子呢，他一跑一跳地，好一会儿才跑到了河边，可是他太小了，怎么也过不了河。突然他有了一个办法，他对着小马喊："小马，你快回来，你带我过去，我们合作就可以摘到苹果了！"小马一听，对啊，我跟小猴子合作，一定能摘到苹果。于是她又跑回河边，带着小猴子过了河，来到了苹果树下。小猴子轻轻一跳就爬上了树，一伸手就摘下了一个又红又大的苹果。

他们一起把苹果交给了老牛伯伯。老牛伯伯笑着说："现在明白了吧？你们两个都有本事，可是如果合在一起，你们的本事会更大！"

(1) 小马和小猴子为什么要比赛？

_____

(2) 小马自己可以摘到苹果吗？为什么？

_____

(3) 小猴子可以自己过河摘到苹果吗？为什么？

_____

(4) 他们最后是怎样摘到苹果的？

_____

Cáo chōng chēng xiàng

10. 曹冲称象

Lesson 10   Cao Chong Weighed an Elephant

xīng qī yī
星期一
Monday

xiě yi xiě
1. 写一写 (Learn to write.)

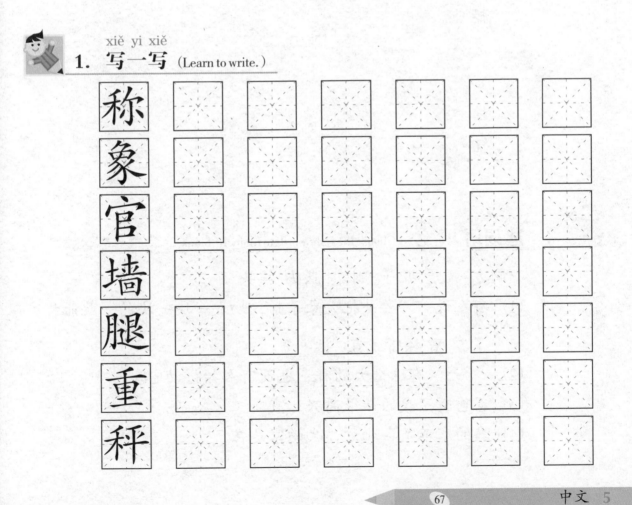

称
象
官
墙
腿
重
秤

2. 读拼音，写汉字 dú pīn yīn　xiě hàn zì (Write one character for each Pinyin.)

chēng　　　　　guān　　　　　　tuǐ　　　　　　zhòng

（　）赞　　　（　）员　　　象（　）　　　很（　）

shā　　　　　　yáo　　　　　　chén　　　　　zhǔ

（　）掉　　　（　）头　　　下（　）　　　（　）意

3. 照例子写出下列字的偏旁部首，再写一个新字 zhào lì zi xiě chū xià liè zì de piān páng bù shǒu　zài xiě yí ge xīn zì

(Write the radical of each character below and make different characters with the radicals after the model.)

例：念→ 心 → 想 (lì)

称→ ___ → ___

墙→ ___ → ___

腿→ ___ → ___

沉→ ___ → ___

官→ ___ → ___

摇→ ___ → ___

往→ ___ → ___

4. 选词语填空 xuǎn cí yǔ tián kòng (Choose the right words to fill in the blanks.)

南方　就是　儿子　刚才　点头　摇头

(1) 有人说："要是把大象杀掉，切成一块一块的，就能称了。"曹操（Cáo cāo）听了直_____。

(2) _____有这么大的秤，也没有人抬得动它。

(3) 爸爸听了我的话很高兴，直_____。

(4) 我的家不是在北方，我的家是在_____。

Cáo   Cáo cāo
(5) 曹冲是曹操的_____。

(6) 妈妈_____在做饭，现在又在洗衣服，很辛苦。

zhào lì zi tián kòng
5. 照例子填空 (Fill in the form after the model.)

这么大的象		重	
方方的姐姐		高	
去商店的路	有多		?
		深	
长江			

zào jù
6. 造句 (Make sentences with the given words or expressions.)

(1) 哪儿 _____

(2) 多少 _____

(3) 刚才 _____

(4) 又…又… _____

(5) 聪明 _____

(6) …像… _____

bǎ kè wén dú gěi bà ba mā ma tīng ràng tā men píng ping fēn
7. 把课文读给爸爸妈妈听，让他们评评分
(Read the text aloud to your parents and ask them to grade your performance.)

评 分	家长签名

xiě yi xiě
1. 写一写 (Learn to write.)

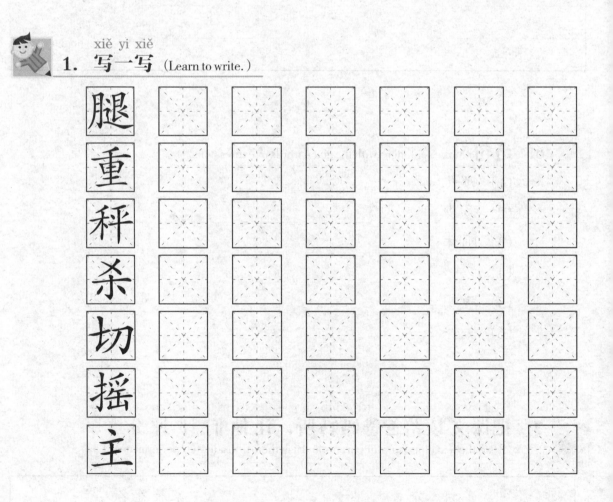

腿
重
秤
杀
切
摇
主

2. 照例子写一写 （Write characters in the stroke order after the model.）

lì
例：ノ →二 →チ →升

→ 七 → →切

→ →千 → → →禾 → → → →称

、 → →宁 → → →官

→ →二 → →言 → → →重

→ ″ → →名 → →争 → → →象

ノ → → → →杀

→ →二 → →主

3. 比一比，再组词语 （Compare and form phrases.）

重 _____   称 _____   腿 _____
里 _____   秋 _____   眼 _____

象 _____   沉 _____   杀 _____
家 _____   汽 _____   朵 _____

4. 照例子连一连，组词语 （Link and form phrases after the model.）

南   儿   哪   主   刚   称   纪

念   赞   意   方   子   儿   才

儿子

5. 照例子把下列句子中画线词语的反义词写在（　）里
（Fill in the blanks with the antonyms of the underlined characters after the model.）

lì
例：老牛又高又大。（小）

(1) 这条河很浅。（　　）

Cáo cāo
(2) 曹操和官员们听了摇头。（　　）

(3) 我有一个好主意。（　　）

(4) 举头望明月。（　　）

(5) 我觉得妈妈说得对。（　　）

(6) 小兔跑得很快。（　　）

6. 照例子改写句子 （Reconstruct the sentences with "多" after the model.）

lì
例：弟弟今年三岁。（多）

你弟弟今年多大？

(1) 那棵树50米。（多）

_____

(2) 我今年八岁。（多）

_____

(3) 这条河十米深。（多）

_____

(4) 那根柱子四米多高。（多）

_____

(5) 这张桌子两米多宽。（多）

_____

7. 读句子，用画线的词语造句 (Read the sentences and make sentences with the underlined words and expressions.)

(1) 谁<u>有办法</u>把这头大象称一称？

_____

(2) <u>就是</u>有这么大的秤，<u>也</u>没有人抬得动它。

_____

(3) <u>要是</u>把大象杀掉，切成一块一块，<u>就</u>能称了。

_____

(4) 大家<u>边</u>看<u>边</u>说："这么大的象能有多重呢？"

_____

(5) 我的好朋友<u>叫</u>云云。

_____

(6) <u>先</u>把大象赶到一条木船上，<u>然后</u>在船边画一条线。

_____

星期三
Wednesday

xiě yi xiě
1. 写一写 (Learn to write.)

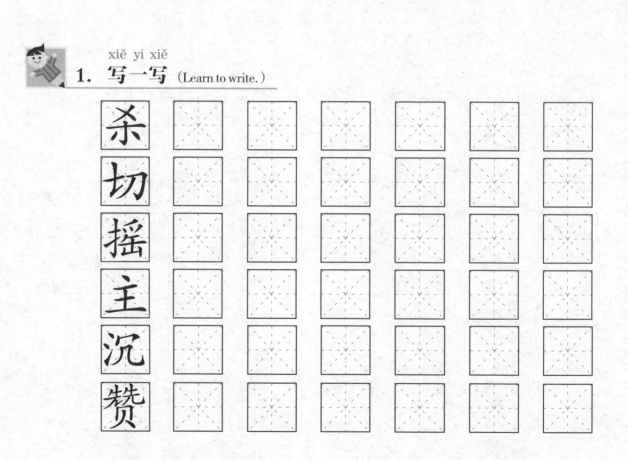

杀
切
摇
主
沉
赞

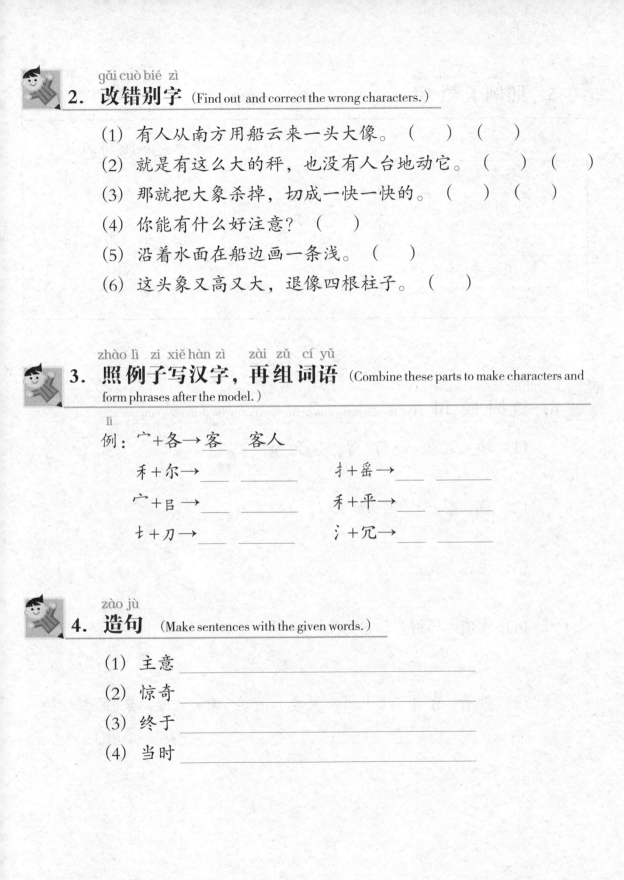

gǎi cuò bié zì

2. 改错别字 （Find out and correct the wrong characters.）

(1) 有人从南方用船云来一头大像。（　　）（　　）

(2) 就是有这么大的秤，也没有人台地动它。（　　）（　　）

(3) 那就把大象杀掉，切成一快一快的。（　　）（　　）

(4) 你能有什么好注意？（　　）

(5) 沿着水面在船边画一条浅。（　　）

(6) 这头象又高又大，退像四根柱子。（　　）

zhào lì zì xiě hàn zì   zài zǔ cí yǔ

3. 照例子写汉字，再组词语 （Combine these parts to make characters and form phrases after the model.）

lì

例：宀＋各→ 客　 客人

禾＋尔→ ＿＿　＿＿＿　　扌＋舀→ ＿＿　＿＿＿

宀＋目→ ＿＿　＿＿＿　　禾＋平→ ＿＿　＿＿＿

耂＋刀→ ＿＿　＿＿＿　　氵＋冗→ ＿＿　＿＿＿

zào jù

4. 造句 （Make sentences with the given words.）

(1) 主意 ＿＿＿＿＿＿＿＿＿＿＿＿＿＿＿＿＿＿＿＿＿＿

(2) 惊奇 ＿＿＿＿＿＿＿＿＿＿＿＿＿＿＿＿＿＿＿＿＿＿

(3) 终于 ＿＿＿＿＿＿＿＿＿＿＿＿＿＿＿＿＿＿＿＿＿＿

(4) 当时 ＿＿＿＿＿＿＿＿＿＿＿＿＿＿＿＿＿＿＿＿＿＿

5. 照例子填空 (Fill in the form after the model.)

大家		*Cáo* 曹冲是个聪明的孩子。
爸爸妈妈	都称赞	
同学们		
		云云学习很认真。
几位老师		

lián cí chéng jù
6. 连词成句 (Put the given words in the correct order to make sentences.)

(1) 墙 大象 一面 像 身子 的

_____

(2) 他 直 听 摇头 了

_____

(3) 主意 我 一个 有 好

_____

(4) 没有 抬得动 它 人

_____

(5) 带着 官员们 儿子 大象 河边 看 一起 *Cáo cāo* 曹操 去 和

7. 读一读，猜一猜 (Make a guess.)

dú yi dú　cāi yi cāi

(1) 腿像四根柱，
　　身如一面墙。
　　两耳大又大，
　　鼻子弯又长。
　　（　　　）

(2) 眼睛红又亮，
　　耳朵长又长。
　　爱吃青菜毛儿白，
　　一跳一跳跑得快。
　　（　　　）

xiě yi xiě
1. 写一写 (Learn to write.)

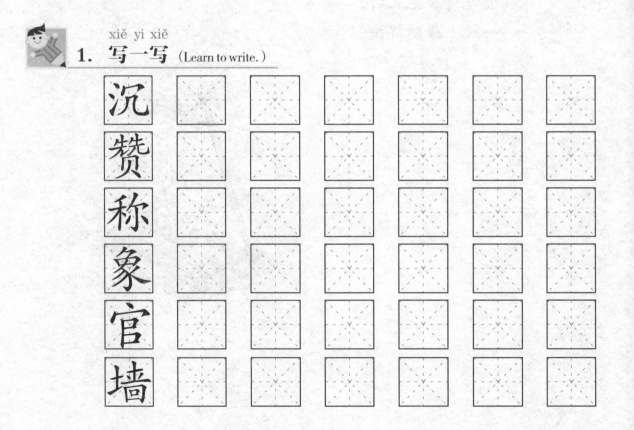

沉
赞
称
象
官
墙

2. 读一读 (Read aloud.)

dú yi dú

爸爸妈妈称赞我是个好孩子。

老师称赞云云的中文有很大提高。

爷爷称赞姐姐是个聪明的学生。

这条小河能有多深？

那个公园能有多大？

你的哥哥能有多重？

zhào lì zi lián yi lián xiě hàn zì

3. 照例子连一连，写 汉字 (Link and write after the model.)

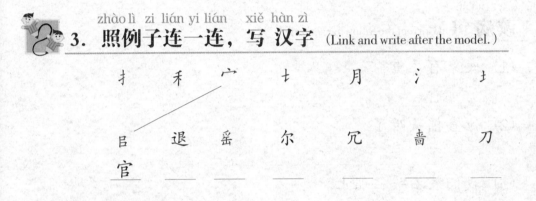

dú yi dú zài zǔ cí yǔ

4. 读一读，再组词语 (Read and form phrases.)

赞 _____　称 _____　对 _____
算 _____　升 _____　腿 _____

象 _____　官 _____　万 _____
像 _____　关 _____　望 _____

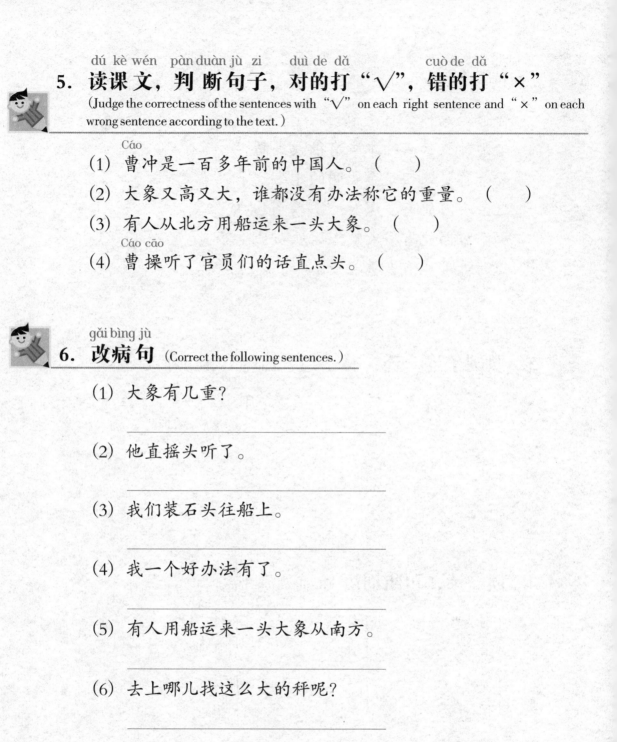

5. 读课文，判断句子，对的打"√"，错的打"×"
dú kè wén pàn duàn jù zi   duì de dǎ   cuò de dǎ
(Judge the correctness of the sentences with "√" on each right sentence and "×" on each wrong sentence according to the text.)

(1) 曹冲是一百多年前的中国人。（　　）
Cáo

(2) 大象又高又大，谁都没有办法称它的重量。（　　）

(3) 有人从北方用船运来一头大象。（　　）

(4) 曹操听了官员们的话直点头。（　　）
Cáo cāo

6. 改病句 (Correct the following sentences.)
gǎi bìng jù

(1) 大象有几重？

_____

(2) 他直摇头听了。

_____

(3) 我们装石头往船上。

_____

(4) 我一个好办法有了。

_____

(5) 有人用船运来一头大象从南方。

_____

(6) 去上哪儿找这么大的秤呢？

_____

7. 用下列句中 画线的词语造句 （Make sentences with the underlined words.）

Cáo cāo

(1) 曹操和官员们一起去河边看大象。

_____

Cáo

(2) 大家都称赞曹冲是个聪明的孩子。

_____

Cáo

(3) 曹冲不慌不忙地说。

_____

(4) 要是把大象杀掉，就能称了。

_____

zhào lì zi àn zhào hàn zì de jié gòu xiě yi xiě

1. 照例子按照 汉字的结构写一写 （Classify the characters below according to the structures after the model.）

称 杀 腿 赞 象 主 官 重

乐 抬 往 摇 墙 久 卫 床

                    gòu

(1) 左右结构：称 _____

                    gòu

(2) 上下结构：杀 _____

          wéi   gòu

(3) 半包围结构：床 _____

(4) 独体字：卫 _____

dú pīn yīn   xiě hàn zì

2. 读拼音，写汉字 （Write one character for each Pinyin.）

zhù
（　）子
zhǔ
（　）意

qiáng
（　）面
qián
付（　）

xiàng
大（　）
xiàng
好（　）

yáo
（　）头
yào
吃（　）

guān
（　）员
guān
（　）门

wǎng
（　）下
wàng
看（　）

3. 选词语填空 （Choose the right words to fill in the blanks. ）

(1) 根 条 面 个

过春节那天，我吃了十五___饺子。

大象的身子像一___墙。

那儿有几百___柱子。

我们沿着水面在船边画了一___线。

(2) 往 向 到 对 沿着

我要___你学习。

我们___船上装石头。

___湖边向东走去。

把大象赶___一条木船上。

我___妈妈说："这个书包的颜色多好看啊！"

(3) 哪儿 谁 什么

___有办法让大家笑起来？

去___买文具呢？

你有___好吃的？

4. 照例子组词语，再造句 （Form phrases with the given characters and make sentences after the model. ）

例：顺→顺利→"神舟五号"顺利回到地面。

主→_____ → _____

刚→_____ → _____

称→_____ → _____

南→_____ → _____

儿→_____ → _____

lián cí chéng jù
5. 连词成句 (Put the given words in the correct order to make sentences.)

(1) 多 这么 的 象 大 有 能 重

_____

(2) 孩子 是 个 聪明 的 大家 称赞 都 他

_____

(3) *Cáo*
曹冲 说 站出来 有 个 好 主意 他

_____

(4) 船上 石头 称一称 的 知道 就 多 重 大象 有 了

_____

dú kè wén　tián kòng
6. 读课文，填空 (Fill in the blanks according to the text.)

_____又高又大，身子像_____，_____像四根柱子。大

家_____看_____说："这么大的象能有_____?" *Cáo cāo* 曹操问：

"_____ 把这头大象_____?" 有人说："_____去

找这么大的秤呢?" 有人说："_____ 有这么大的秤，_____

_____抬得动它。"还有人说："要是把大象_____，切_____

_____，就能_____了。" *Cáo cāo* 曹操听了_____。

7. <ruby>阅<rt>yuè</rt></ruby><ruby>读<rt>dú</rt></ruby><ruby>短<rt>duǎn</rt></ruby><ruby>文<rt>wén</rt></ruby>，<ruby>判<rt>pàn</rt></ruby><ruby>断<rt>duàn</rt></ruby><ruby>句<rt>jù</rt></ruby><ruby>子<rt>zi</rt></ruby>，<ruby>对<rt>duì</rt></ruby><ruby>的<rt>de</rt></ruby><ruby>打<rt>dǎ</rt></ruby>"√"，<ruby>错<rt>cuò</rt></ruby><ruby>的<rt>de</rt></ruby><ruby>打<rt>dǎ</rt></ruby>"×"

（Judge the correctness of the sentences with "√" on each right sentence and "×" on each wrong sentence according to the passage below.）

　　如果是现在来称大象的重量，那办法可多了。现在的秤不用人抬就可以称大象。不但这样，现在的秤还可以称大汽车呢。现在的秤很多，真是五花八门。秤的用处也越来越大，各行各业都离不开它，人们的日常生活更少不了它。

(1) 用现在的秤称大象，还要用人抬。　　　　　　（　　）

(2) 现在的秤多种多样。　　　　　　　　　　　　（　　）

(3) 现在的秤没有多大用处。　　　　　　　　　　（　　）

(4) 现在的秤只可以称大象，不可以称别的东西。（　　）

(5) 现在来称大象的话，只有一个办法。　　　　　（　　）

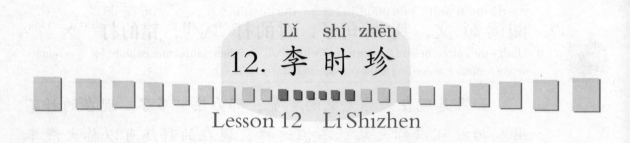

Lǐ shí zhēn

12. 李时珍

Lesson 12　Li Shizhen

xīng qī yī

星期一

Monday

xiě yi xiě

1. 写一写 （Learn to write.）

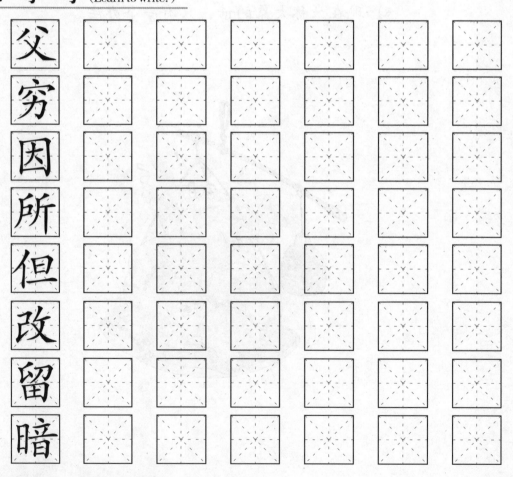

父					
穷					
因					
所					
但					
改					
留					
暗					

中文 5　　86

2. 照例子写出下列字的 偏 旁 部首，再写一个新字
（Write the radical of each character below and make different characters with the radicals after the model.）

lì

例：旗→ 方 → 旅

层→ ___ → ___　　　度→ ___ → ___　　　伟→ ___ → ___

药→ ___ → ___　　　因→ ___ → ___　　　父→ ___ → ___

3. 照例子填空 （Fill in the form after the model.）

他的书		译	成	多国文字。
弟弟	被			
		挡	到	外边。
病人				
花儿				

4. 连词 成 句 （Put the given words in the correct order to make sentences.）

(1) 他 药方 说出 轻轻地 在 旁边 了 一个

_____

(2) 云云 改变 没有 一直 决心

_____

(3) 从小 他 决心 医生 当 就

_____

(4) 父亲 的 他 穷人 给 看病 不 收钱 常常

_____

(5) 李时珍(Lǐ zhēn) 明代 医学家 药物学家 和 是 著名 的

_____

(6) 发现 很多 医书 上 错误 的 他 有

_____

5. 造句(zào jù) (Make sentences with the given words and expressions.)

(1) 伟大 _____

(2) 因为…所以… _____

_____

(3) 改变 _____

(4) 同意 _____

(5) 亲自 _____

(6) 发现 _____

6. 读课文(dú kè wén)，填空(tián kòng) (Fill in the blanks according to the text.)

李时珍(Lǐ zhēn)是中国明代____的医学家____药物学家。他的父亲是个医生，给穷人____常常不收钱。李时珍(Lǐ zhēn)从小就____当医生，给穷人看病。____那时人们看不起当医生的，所以_____。

7. 把课文读给爸爸妈妈听，让他们评评分(bǎ kè wén dú gěi bà ba mā ma tīng ràng tā men píng ping fēn)

(Read the text aloud to your parents and ask them to grade your performance.)

评 分	家长签名

星期二
xīng qī èr
Tuesday

xiě yi xiě
1. 写一写 （Learn to write.）

但						
改						
留						
暗						
合						
适						
误						
检						

2. 写出带有下列偏 旁 部首 的字 (Write characters with the given radicals.)

亻: ____ ____ ____

夂: ____ ____ ____

日: ____ ____ ____

辶: ____ ____ ____

木: ____ ____ ____

bǐ yi bǐ　zài zǔ cí yǔ

3. 比一比，再组词语 (Compare and form phrases.)

但 ____
低 ____
伟 ____

药 ____
草 ____
荣 ____

改 ____
故 ____
教 ____

因 ____
圆 ____
园 ____

xuǎn cí yǔ tián kòng

4. 选词语填 空 (Choose the right words to fill in the blanks.)

高高兴兴地　漂漂亮亮地　干干净净的

轻轻地　静静地　暗暗地

(1) 在父亲给人看病时，李时珍 _____ 记下了许多药方。

(2) 爷爷 _____ 坐在那儿看书。

(3) 明明 _____ 说："太好了！我可以去玩儿了！"

(4) 李时珍在旁边 _____ 说出了一个药方。

(5) 孩子们穿得 _____ 出门去了。

(6) 衣服被妈妈洗得 _____ 。

5. 读课文，填空 (Fill in the blanks according to the text.)

      李时珍想当＿＿＿的决心一直没有＿＿＿。他处处留心＿＿＿，在父亲给人看病时＿＿＿地记下了许多＿＿＿。

      有一次，父亲给人＿＿＿，一时想不出＿＿＿的＿＿＿，心里很＿＿＿。这时，李时珍在＿＿＿轻轻地＿＿＿了一个＿＿＿。父亲听了很＿＿＿，就给＿＿＿开了这个药方。病人吃了＿＿＿，很快就好了，还＿＿＿上门＿＿＿。从此以后，父亲就＿＿＿李时珍＿＿＿了。

zhào lì zi gǎi xiě jù zi

6. 照例子改写句子 (Reconstruct the sentences with "被" after the model.)

     例：那时人们看不起医生。（被）

       那时医生被人看不起。

(1) 弟弟弄坏了游戏机。（被）

_____

(2) 猫吃了家里的鱼。（被）

_____

(3) 他借走了我的铅笔。（被）

_____

(4) 明明拿走了我的书。（被）

_____

(5) 老师发现了我的错误。（被）

_____

7. 造句 *zào jù* (Make sentences with the given words and expressions.)

(1) 看不起 _____

(2) 刻苦 _____

(3) 感谢 _____

(4) 合适 _____

(5) 于是 _____

(6) 着急 _____

星期三 *xīng qī sān*
Wednesday

1. 写一写 *xiě yi xiě* (Learn to write.)

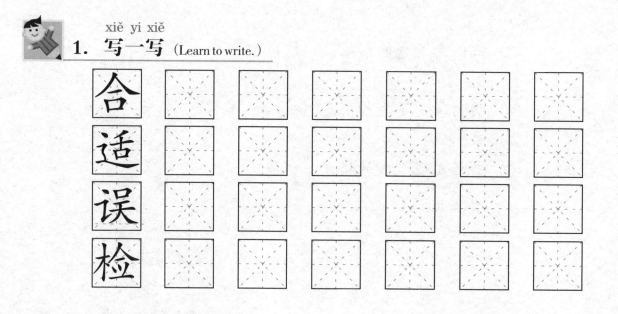

合

适

误

检

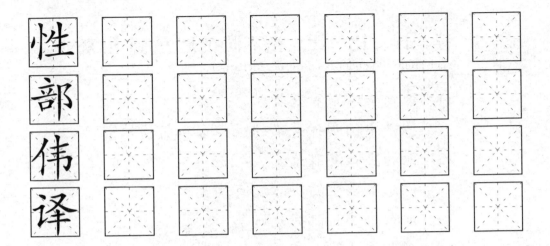

性
部
伟
译

bǐ yi bǐ   zài zǔ cí yǔ
2. 比一比，再组词语（Compare and form phrases.）

{ 合 _____   { 适 _____   { 误 _____   { 住 _____
{ 全 _____   { 甜 _____   { 读 _____   { 往 _____

dú pīn yīn   xiě hàn zì
3. 读拼音，写汉字（Write one character for each Pinyin.）

yīn   hé   wù   wěi
（   ）为   （   ）适   错（   ）   （   ）大

yì   qīn   kè   bìng
同（   ）   （   ）自   （   ）苦   看（   ）

tián kòng
4. 填空（Fill in the blanks.）

_____药方   同意_____   _____错误   _____医生

回答_____   检验_____   _____著作   改变_____

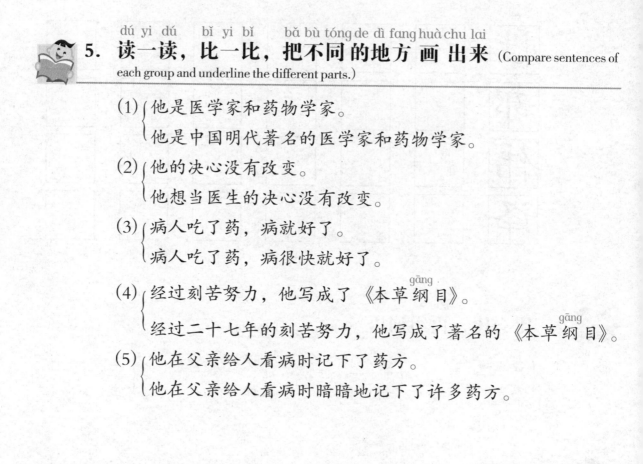

5. 读一读，比一比，把不同的地方 画 出来 (Compare sentences of each group and underline the different parts.)

(1) { 他是医学家和药物学家。
他是中国明代著名的医学家和药物学家。

(2) { 他的决心没有改变。
他想当医生的决心没有改变。

(3) { 病人吃了药，病就好了。
病人吃了药，病很快就好了。

(4) { 经过刻苦努力，他写成了《本草纲目》。
经过二十七年的刻苦努力，他写成了著名的《本草纲目》。

(5) { 他在父亲给人看病时记下了药方。
他在父亲给人看病时暗暗地记下了许多药方。

6. 完 成 句 子 (Complete the following sentences.)

(1) 因为妈妈喜欢花，＿＿＿＿＿＿＿＿＿＿。

(2) ＿＿＿＿＿＿＿＿＿，所以妈妈给我买了很多。

(3) ＿＿＿＿＿＿＿＿＿，所以我不知道今天有什么作业。

(4) 因为下大雨，＿＿＿＿＿＿＿＿＿。

(5) 因为她刻苦努力，＿＿＿＿＿＿＿＿＿。

(6) ＿＿＿＿＿＿＿＿＿，所以没去上学。

7. 读下面的对话，回答问题 (Reading comprehension)

爸爸：昨天叔叔帮你解答了数学问题，你说谢谢了吗？

儿子：我说了，可是没有用。

爸爸：为什么没有用？

儿子：因为叔叔说："不用谢。"

　　(1) 叔叔说"不用谢"，真的指没有用吗？

　　　　_____。

　　(2) 你觉得这个"儿子"聪明吗？

　　　　_____。

　　　　　　　　　　　　lǐ
　　(3) 如果你送礼物给朋友，朋友说"谢谢"，你会怎么说？

　　　　_____。

xīng qī sì
星期四
Thursday

xiě yi xiě
1. 写一写 （Learn to write.）

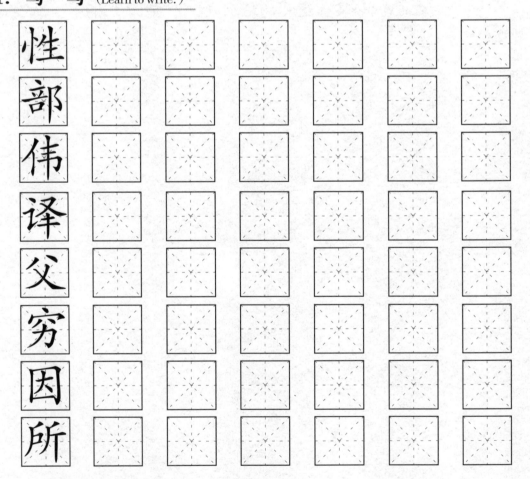

性
部
伟
译
父
穷
因
所

2. <ruby>照<rt>zhào</rt></ruby> <ruby>例<rt>lì</rt></ruby> <ruby>子<rt>zi</rt></ruby> <ruby>连<rt>lián</rt></ruby> <ruby>一<rt>yi</rt></ruby> <ruby>连<rt>lián</rt></ruby>，<ruby>写<rt>xiě</rt></ruby> <ruby>汉<rt>hàn</rt></ruby> <ruby>字<rt>zì</rt></ruby> （Link and write after the model.）

亻	艹	口	忄	辶	又
约	舌	大	韦	又	生
				双	

3. <ruby>照<rt>zhào</rt></ruby> <ruby>例<rt>lì</rt></ruby> <ruby>子<rt>zi</rt></ruby> <ruby>连<rt>lián</rt></ruby> <ruby>一<rt>yi</rt></ruby> <ruby>连<rt>lián</rt></ruby>，<ruby>组<rt>zǔ</rt></ruby> <ruby>词<rt>cí</rt></ruby> <ruby>语<rt>yǔ</rt></ruby> （Link and form phrases after the model.）

伟	药	改	合	错	检	感
适	大	误	谢	验	变	性

伟大

4. <ruby>读<rt>dú</rt></ruby> <ruby>课<rt>kè</rt></ruby> <ruby>文<rt>wén</rt></ruby>，<ruby>填<rt>tián</rt></ruby> <ruby>空<rt>kòng</rt></ruby> （Fill in the blanks according to the text.）

<ruby>李<rt>Lǐ</rt></ruby>时<ruby>珍<rt>zhēn</rt></ruby>二十二____开始给人看病。他____医书上有很多____，很多药都没有记上去。____，他就到各地名山去____，还____检验药性。____二十七年的刻苦努力，他写成了____的《本草<ruby>纲<rt>gāng</rt></ruby>目》。这部____的药物学著作，被____成了多国文字，在____上广为流传。

5. 画出下列句中的错别字，把正确的字写在（ ）里

huà chū xià liè jù zhōng de cuò bié zì　　bǎ zhèng què de zì xiě zài　　li

（Find out and correct the wrong characters.）

(1)《本草纲目》被翻译成了多国文子。（　）（　）
gāng

(2) 李时珍想当医生的快心没有改变。（　）
Lǐ　　zhēn

(3) 他外外用心学习。（　）（　）（　）

(4) 父亲一时想不出和适地药方。（　）（　）

(5) 李时珍在旁边经经地说出了一个药方。（　）（　）
Lǐ　　zhēn

(6) 他到各地各山去菜药，还亲自检验药姓。
（　）（　）（　）

6. 读课文，判断句子，对的打"√"，错的打"×"

dú kè wén　pàn duàn jù zi　　duì de dǎ　　　cuò de dǎ

（Judge the correctness of the sentences with "√" on each right sentence and "×" on each wrong sentence according to the text.）

(1) 李时珍写的《本草纲目》，被译成了多国文字，在世界上
Lǐ　zhēn　　　　gāng
广为流传。（　）

(2) 因为那时人们都喜欢当医生，所以父亲一开始就同意李时
Lǐ
zhēn
珍当医生。（　）

(3) 李时珍给病人看病，一时想不出合适的药方，心里很着急。
Lǐ　　zhēn
（　）

(4) 病人吃了李时珍开的药，一直没有好。（　）
Lǐ　　zhēn

(5) 李时珍从小就给人看病。（　）
Lǐ　　zhēn

(6) 李时珍经过七年的刻苦努力，他写成了著名的《本草纲
Lǐ　　zhēn　　　　　　　　　　　　　　　　　gāng
目》。（　）

xīng qī wǔ
星 期 五
Friday

1. zhào lì zi àn zhào hàn zì jié gòu xiě chū nǐ xué guò de sān ge zì
照例子按 照 汉字结 构写 出你学过的三个字 (According to the example, write three characters for each structure below.)

lì wéi gòu
例：半包围结构：度题层

gòu
(1) 左右结构：＿＿＿＿＿＿＿

gòu
(2) 左中右结构：＿＿＿＿＿＿＿

gòu
(3) 上下结构：＿＿＿＿＿＿＿

wéi gòu
(4) 全包围结构：＿＿＿＿＿＿＿

(5) 独体字：＿＿＿＿＿＿＿

2. dú pīn yīn xiě hàn zì
读拼音，写汉字 (Write one character for each Pinyin.)

qióng dàn gǎi
（　）人　　（　）是　　（　）变

liú jiǎn xìng
（　）心　　（　）查　　药（　）

3. 读一读（Read aloud.）

dú yi dú

因为那时人们看不起当医生的，所以父亲不同意。

因为我生病了，所以今天不去上课了。

因为我要去中文学校，所以不去公园了。

妈妈不同意云云去商店，但是，云云还是想去。

我喜欢游泳，但是冬天很冷，不能去游泳。

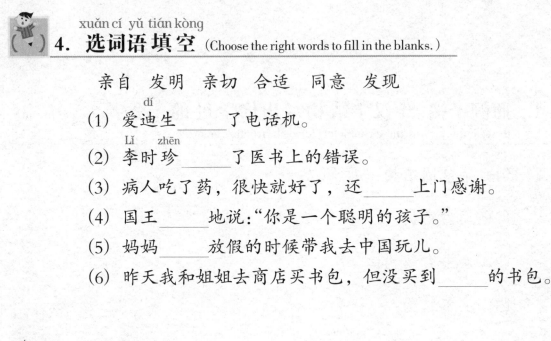

4. 选词语填空（Choose the right words to fill in the blanks.）

xuǎn cí yǔ tián kòng

亲自　发明　亲切　合适　同意　发现

(1) 爱迪生_____了电话机。

(2) 李时珍_____了医书上的错误。

(3) 病人吃了药，很快就好了，还_____上门感谢。

(4) 国王_____地说："你是一个聪明的孩子。"

(5) 妈妈_____放假的时候带我去中国玩儿。

(6) 昨天我和姐姐去商店买书包，但没买到_____的书包。

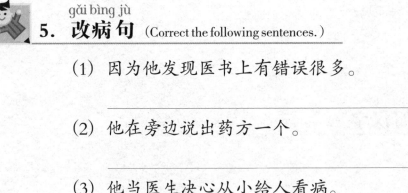

5. 改病句（Correct the following sentences.）

gǎi bìng jù

(1) 因为他发现医书上有错误很多。

_____

(2) 他在旁边说出药方一个。

_____

(3) 他当医生决心从小给人看病。

_____

(4) 父亲想不出一时合适的药方。

_____

(5) 那时人们因为看不起当医生的，父亲所以不同意。

_____

6. 连词成句 （Put the given words in the correct order to make sentences.）

(1) 他 给 二十二岁 看 人 病 开始

_____

(2) 父亲 儿子 了 同意 学医

_____

(3) 暗暗 许多 记下 了 药方 地 他

_____

(4) 著作 药物学 这 部 流传 广为 在 世界上

_____

(5) 病人 好 了 很快 感谢 上门 亲自 还

yuè dú duǎn wén　pàn duàn jù zi　　duì de dǎ　　　cuò de dǎ
7. 阅读短文，判断句子，对的打"√"，错的打"×"
（Judge the correctness of the sentences with "√" on each right sentence and "×" on each wrong sentence according to the passage below.）

安徒生小时候家里很穷。十二岁他就去鞋店做工。在鞋店里做工很辛苦，没有一点儿快乐。安徒生知道，世界上像他这样的穷孩子很多，他决心靠自己的能力把快乐带给这些穷孩子。

从那时起，安徒生白天在鞋店做工，晚上就在家里写童话故事，常常写到深夜。第二天他就把写好的故事讲给孩子们

听。这些穷孩子十分喜欢听他讲故事。看到孩子们快乐，安
徒生心里也就更加快乐。

安徒生一生写了很多童话故事。他的童话故事被译成了多
国文字，流传世界。

(1) 安徒生小时候家里不穷。　　　　　　　　　（　）

(2) 安徒生给穷孩子带来了快乐。　　　　　　　（　）

(3) 安徒生白天写童话故事，晚上做工。　　　　（　）

(4) 孩子们不喜欢安徒生的童话故事。　　　　　（　）

(5) 安徒生的童话故事流传世界。　　　　　　　（　）